Tres Cuentistas
Hispanoamericanos

EDITED BY

Donald A. Yates
Michigan State University

Joseph Sommers
University of Washington

Julian Palley
University of California, Irvine

THE MACMILLAN COMPANY

COLLIER-MACMILLAN LIMITED, LONDON

Tres Cuentistas Hispanoamericanos

Horacio Quiroga

Francisco Rojas González

Manuel Rojas

First Printing

Library of Congress catalog card number: 69–43084

THE MACMILLAN COMPANY
COLLIER-MACMILLAN CANADA, LTD., TORONTO, ONTARIO

Printed in the United States of America

Acknowledgments

HORACIO QUIROGA
María Elena Bravo de Quiroga and María Elena Cunill Cabanellas
for "El paso del Yabebirí " (1918), "El hombre muerto" (1926),
"Tacuara-Mansión" (1926) and "La gallina degollada" (1909).

FRANCISCO ROJAS GONZÁLEZ
Lilia L. Vda. de Rojas González for "Silencio en las sombras" (1946),
"El pajareador" (1933).
Fondo de Cultura Económica for "La tona" (1952), "La parábola
del joven tuerto" (1950) and "Nuestra Señora de Nequetejé" (1949).

MANUEL ROJAS
Manuel Rojas for "Laguna" (1954), "El vaso de leche" (1963) and
"Un ladrón y su mujer" (1963).

Preface

It is our belief that this selection of twelve short stories by three distinguished Spanish American authors includes some of the finest examples of narrative prose fiction produced in the twentieth century.

Tres Cuentistas Hispanoamericanos has been prepared in the following fashion. Each of the three editors has selected one author in whose work he has developed a special interest (Donald Yates is responsible for the section dealing with Quiroga, Joseph Sommers for Rojas González, and Julian Palley for Rojas), and has undertaken to introduce the writer and a sampling of his best work in a meaningful way. Toward this end we have provided a concise biographical sketch of the author, introductory comments on each story, and ample footnotes to the text—features designed to illuminate and explain the content of these selections. The exercises accompanying each selection are intended to serve two main purposes. First, to provide a review of the narrative aspect of each story; and second, to emphasize and review certain important linguistic features encountered therein.

Much variety and color are to be found in these tales by River Plate author Horacio Quiroga, Mexican Francisco Rojas González, and Chilean Manuel Rojas, for we have been guided by the principal criterion of including stories that would seem to offer a maximum of appealing qualities to a student audience composed of relatively new users of the Spanish language. If we have been successful in this respect, the results will be reflected in the readability of this collection.

For granting permission to reprint the stories appearing in this volume, we would like to express our thanks to Sra. María Elena Bravo de Quiroga, Sra. María Elena Cunill de Cabanellas, Sra. Lilia L. de Rojas González, the Fondo de Cultura Económica of Mexico, and to Don Manuel Rojas.

D.Y.
J.S.
J.P.

Contents

Manuel Rojas

Horacio
Quiroga

(1878–1938)

Art Out of Adversity:
The Career of Horacio Quiroga

Horacio Quiroga was haunted throughout his lifetime by tragedy, conflict, and spiritual torment. His character, however, was a noble one, and the numerous misfortunes and frustrations that were his lot had the ultimate effect of conferring on his best writing a sense of immediacy and a depth of feeling that stand out as the most durable qualities of his work.

Quiroga did not distinguish himself as a refined or elegant stylist; his best writing is characterized rather by vigor, directness, and conciseness of language. However, in the earliest stage of his career as a writer, he did fall under the spell of Modernism, as did many of the young artists with whom he associated around the turn of the century. The poets and writers of the Modernist group, headed by the world-travelling Nicaraguan poet Rubén Darío, had brought to Spanish American letters in the late nineteenth century new artistic standards that stood in such contrast to the previously honored unimaginative realistic techniques and tired romantic postures that there occurred a kind of literary revolution. The ranks of the rebellious were swelled with scores of new young poets and writers whose inspiration now derived to a large extent from elegant and sometimes decadent French models.

Typical of the mode of expression of the new literary doctrine was Quiroga's first book, *Los arrecifes de coral* (1901), a collection of eighteen poems, thirty pages of lyric prose, and four short stories—experimental in its language and faithful to the tenets of Modernism in both its themes (exoticism, insanity, sexual compulsion) and its models (Poe, Baudelaire, Verlaine, Darío). However, Quiroga was soon to overcome this early infatuation and would quietly renounce the artificiality of this manner of composition. No one, in fact, accomplished more than he in initiating the subsequent phase of Modernism that returned the geographic focus to *lo criollo*, to the New World itself, to an immediate and freshly perceived reality. This was the result of the author's discovery that his true material was actually very close at hand and that his only authentic themes were the land around him and man's search for the meaning of his existence in those surroundings—in short, the material of Quiroga's own life.

The story of the author's life is a tragic document. Horacio Quiroga was born on December 31, 1878, in Salto, Uruguay. When he was two months old, his father accidentally killed himself with his own gun. Several years later his mother re-married and, after a period of residence in Argentina, the family resettled in Uruguay. When Quiroga was sixteen, his stepfather, despairing over the partial paralysis he had suffered as the result of a brain hemorrhage, committed suicide almost before the boy's eyes. Two years later, young Quiroga, who had fallen under the sway of the European writers Gustavo Adolfo Bécquer (Spain), Friedrich Heine (Germany), and Paul Verlaine (France) as well as a number of Spanish American writers who were cultivating the new type of expression that came to be called Modernism—Leopoldo Lugones (Argentina), Manuel Gutiérrez Nájera (Mexico), and Rubén Darío—began to publish his first pieces in magazines in Salto. An unhappy love affair, a period spent as editor of a new magazine in Salto, a trip to Paris, and then, back in Uruguay, further experiments with the techniques of Modernism, filled out the years from 1897 to 1902. In the latter year Quiroga accidentally shot and killed his close friend Federico Ferrando with a pistol he was handling.

Soon afterward, Quiroga left Salto to go to Buenos Aires where he found a job teaching Spanish and now gave himself over more seriously than before to writing, associating there with some of the most celebrated Argentine authors and poets of the period. During these years in Argentina he made his first visits to the north, to Misiones and to the Chaco, tropical regions which seemed ever after to hold an irresistible fascination for him. An ill-fated romance and a failure in an attempt to take up farming in the Chaco preceded his marriage in 1909 to Ana María Cirés, who had been his student in Buenos Aires. The opposition of her parents to the marriage led him to take her with him to San Ignacio in Misiones, where he had bought a parcel of land and had built a house. The couple moved there with the intention of remaining permanently. A daughter was born in 1911 and, in 1912, a son. Quiroga was apparently a difficult and somewhat dictatorial husband and father, and this produced serious conflicts between him and his wife. A series of crises culminated in 1915 when his wife took poison and, after eight days of suffering, died.

A year later Quiroga was back in Buenos Aires where he continued actively to pursue his writing career. With the help of friends he was able to secure a modest post in the Uruguayan consulate, the salary from which allowed him to live in a rather humble fashion with his two children in the Argentine capital. His realistic short stories were now appearing regularly in newspapers and magazines and they began to attract attention. In 1917, the Argentine novelist Manuel Gálvez proposed that he prepare a collection of tales for publication as a book. In that same year the book appeared—*Cuentos de amor de locura y de muerte* —and Quiroga was immediately recognized as one of the best short story writers in all South America. He was not destined, however, to enjoy the undisputed praise for very long. Around 1925 a new group of young and influential writers came into prominence, many of them closely associated with the important but short-lived literary magazine *Martín Fierro*, published in Buenos Aires. Their esthetic ideals were quite different from those of Quiroga and they did not hesitate to issue the judgement that Quiroga's inelegant and unrefined prose was scarcely worthy of being considered as literature. As the critics, authors, and poets of this group grew in stature and importance, Quiroga's local reputation and the quality of his work declined.

In 1927 in Buenos Aires, following another frustrated love affair with a young girl in Misiones, Quiroga married María Elena Bravo, a friend of his daughter. In 1931 he was transferred to the Uruguayan consular office in San Ignacio in Misiones where, some months later, he was joined by his wife and their three-year old daughter. His final years in Misiones were made difficult by a revolution in Uruguay which resulted in his being removed from his diplomatic post, by the long and arduous process of securing a pension from the government, and by deteriorating health. During the same period, disagreements between Quiroga and his second wife, who did not enjoy provincial life, eventually produced a series of separations. In September of 1936, Quiroga returned to Buenos Aires with the intention of submitting to an operation that hopefully would improve his physical condition. The required operation was repeatedly postponed by his doctors and, although for many weeks attempts were made to keep the truth from him, he eventually discovered that he was a victim of gastritic cancer. On the 19th of February, 1937, the day after he had discovered the nature of his illness, he was found dead of a self-administered dose of cyanide.

While his period of maximum productivity and success (during which his best work was written) occurred between 1905 and 1926, Quiroga continued writing almost to the end, compelled to satisfy some inner urge that seemed quite detached from specific financial motives. The hardships and criticism that marked his later life were the source of some of the insights he gave into the tragic nature of human existence. Tragedy he knew, for it was often with him. To those who associated with him,

Quiroga seemed always to need and be searching for companionship, but at any large social gathering he appeared a quiet and
lonely man. He believed he belonged away from the city and, in
fact, he was able to find some degree of contentment in the
jungles of Misiones. But even there the peace of mind he sought
eluded him.

Many of Quiroga's writings are clearly autobiographical,
drawn from specific events of his life. Yet his tone is never warm
or intimate, never confessional, rarely personal in any degree.
His two novels, *Historia de un amor turbio* (1901) and *Pasado amor*
(1929), seem less than successful for this very reason; for,
although Quiroga is relating in them the sad accounts of two of
his doomed romances, he withholds so much of his intimate
feeling that the portraits of the two protagonists appear curiously
incomplete and unconvincing. Rather, it is in his short stories
where the author best communicates his experiences and insights
into life.

The four stories collected here display several different facets
of Quiroga's character. His prodigious gift of imagination and
inventiveness, that so impressed readers of *Cuentos de amor de
locura y de muerte*, and which appears in a lighter vein in *Cuentos
de la selva para los niños*, is suggested in "El paso del Yabebirí,"
taken from the latter book. In "El hombre muerto," Quiroga's
characteristic impersonality serves ideally to intensify the impact
of the narrative, which offers a chilling version of the meaning-
less type of accident that deprived him of his father. A fundamental quality of Quiroga's stories is their regionalistic nature.
"Tacuara-Mansión" is one of the sketches with which the
author immortalized many of the picturesque, real-life inhabitants of San Ignacio, a town located in the area most often
associated with Quiroga's name—Misiones. Some of the bitterness he knew in his relationships as husband and father can be
perceived in "La gallina degollada"; but here again the basic
emotion is objectified and now creatively translated into gloomy

imaginings. Quiroga's stamp is clearly on it. For in addition to displaying qualities of literary inventiveness, the story communicates a special awareness that much of his work possesses— the powerful sense of the imminence of tragedy in the affairs of men.

D.A.Y.

PRINCIPAL WORKS

Los perseguidos, 1905 (STORIES)

Historia de un amor turbio, 1908 (NOVEL)

Cuentos de amor de locura y de muerte, 1917

Cuentos de la selva para los niños, 1918

El salvaje, 1920 (STORIES)

Anaconda, 1921 (STORIES)

El desierto, 1924 (STORIES)

Los desterrados, 1926 (STORIES)

Pasado amor, 1929 (NOVEL)

El más allá, 1935 (STORIES)

EL PASO DEL YABEBIRÍ

The original edition of Cuentos de la selva *(1918), from which "El paso del Yabebirí" is taken, carried the additional qualifier "para los niños." These short stories were, in fact written for Quiroga's children and were obviously patterned after the celebrated* Jungle Book *and* Just So Stories *of the English writer, Rudyard Kipling.*

Quiroga perceived in the jungle region of Misiones a natural backdrop for his own new series of animal adventures, and in these charming tales he was able to give expression to the brighter side of his nature. The composition of these colorful, sometimes moralistic, quite uncomplicated stories must have provided the author with much the same sort of escapist pleasure that they themselves have since given to generations of young readers.

"El paso del Yabebirí" is one of the most exciting of these jungle tales, for in it the reader will have no trouble sympathizing with the brave allies of the wounded man who join forces to fight a legendary battle in the distant reaches of the Argentine north.

El paso
del Yabebirí [1]

En el río Yabebirí, que está en Misiones,[2] hay muchas rayas, porque "Yabebirí" quiere decir precisamente "Río-de-las-rayas". Hay tantas, que a veces es peligroso meter un solo pie en el agua. Yo conocí un hombre a quien lo picó una raya en el talón, y que tuvo que caminar rengueando media legua para 5 llegar a su casa; el hombre iba llorando y cayéndose de dolor. Es uno de los dolores más fuertes que se puede sentir.

Como en el Yabebirí hay también muchos otros pescados, algunos hombres van a cazarlos con bombas de dinamita. Tiran la bomba al río, matando millones de pescados. Todos los 10 pescados que están cerca mueren, aunque sean grandes como una casa. Y mueren también todos los chiquitos, que no sirven para nada.

Ahora bien;[3] una vez un hombre fue a vivir allá, y no quiso que tiraran bombas de dinamita, porque tenía lástima de los 15 pescaditos.[4] Él no se oponía a que pescaran en el río para comer;[5] pero no quería que mataran inútilmente a millones de pescaditos. Los hombres que tiraban bombas se enojaron al principio; pero como el hombre tenía un carácter serio, aunque era muy bueno, los otros se fueron a cazar a otra parte, y todos los pescados 20

---

1. **El paso del Yabebirí** The crossing of the Yabebirí.
2. **Misiones** *A province in northern-most Argentina, bordering on Paraguay and Brazil.*
3. **Ahora bien** Now then.
4. **tenía lástima de los pescaditos** he felt sorry for the little fish.
5. **Él . . . comer** He didn't oppose their fishing in the river for food.

quedaron muy contentos. Tan contentos y agradecidos estaban
a su amigo que había salvado a los pescaditos, que lo conocían
apenas se acercaba a la orilla.[6] Y cuando él andaba por la costa
fumando, las rayas lo seguían arrastrándose por el barro, muy
contentas de acompañar a su amigo. Él no sabía nada, y vivía   5
feliz en aquel lugar.

Y sucedió que una vez, una tarde, un zorro llegó corriendo
hasta el Yabebirí, y metió las patas en el agua, gritando:

—¡Eh, rayas! ¡Ligero! ¡Ahí viene el amigo de ustedes, herido!

Las rayas, que lo oyeron, corrieron ansiosas a la orilla. Y le   10
preguntaron al zorro:

—¿Qué pasa? ¿Dónde está el hombre?

—¡Ahí viene! —gritó el zorro de nuevo. —¡Ha peleado con
un tigre![7] ¡El tigre viene corriendo! ¡Seguramente va a cruzar
a la isla! ¡Denle paso,[8] porque es un hombre bueno!   15

—¡Ya lo creo![9] ¡Ya lo creo que le vamos a dar paso!   con
testaron las rayas. —¡Pero lo que es el tigre,[10] ése no va a pasar!

—¡Cuidado con él! —gritó aún el zorro. —¡No se olviden de
que es el tigre!

Y pegando un brinco,[11] el zorro entró de nuevo en el monte.   20
Apenas acababa de hacer esto,[12] cuando el hombre apartó las
ramas y apareció, todo ensangrentado y la camisa rota. La
sangre le caía por la cara y el pecho hasta el pantalón. Y desde
las arrugas del pantalón, la sangre caía a la arena. Avanzó
tambaleando hacia la orilla, porque estaba muy herido, y entró   25
en el río. Pero apenas puso un pie en el agua, las rayas que estaban amontonadas se apartaron de su paso, y el hombre llegó

---

6. **apenas ... orilla**   the moment he came near the bank.

7. **tigre**   *in South America this usually refers to the animal we call* "jaguar."

8. **Denle paso**   Let him by (*This is the meaning of* **paso** *throughout most of the story.*)

9. **¡Ya lo creo!** Yes, indeed!

10. **lo que es el tigre**   as for the jaguar.

11. **pegando un brinco**   taking a leap.

12. **Apenas ... esto**   He had just barely done this.

con el agua al pecho hasta la isla, sin que una raya lo picara.¹³
Y conforme llegó,¹⁴ cayó desmayado en la misma arena, por la
gran cantidad de sangre que había perdido.

Las rayas no habían aún tenido tiempo de compadecer del
todo¹⁵ a su amigo moribundo, cuando un terrible rugido les   5
hizo dar un brinco en el agua.

—¡El tigre! ¡el tigre! —gritaron todas, lanzándose como
una flecha a la orilla.

En efecto, el tigre que había peleado con el hombre y que lo
venía persiguiendo había llegado a la costa del Yabebirí. El   10
animal estaba muy herido, y la sangre le corría por todo el
cuerpo. Vio al hombre caído como muerto en la isla, y lanzando
un rugido de rabia, se echó al agua, para acabar de matarlo.¹⁶

Pero apenas hubo metido una pata en el agua, sintió como si le
hubieran clavado diez terribles clavos en las patas, y dio un salto   15
atrás: eran las rayas, que defendían el paso del río, y le habían
clavado con toda su fuerza el aguijón de la cola.

El tigre quedó roncando de dolor, con la pata en el aire; y al
ver toda el agua de la orilla turbia como si removieran el barro
del fondo, comprendió que eran las rayas que no lo querían   20
dejar pasar. Y entonces gritó enfurecido:

—¡Ah, ya sé lo que es! ¡Son ustedes, malditas rayas! ¡Salgan
del camino!

—¡No salimos! —respondieron las rayas.

—¡Salgan!   25

—¡No salimos! ¡Él es un hombre bueno! ¡No hay derecho
para matarlo!

—¡Él me ha herido a mí!

—¡Los dos se han herido! ¡Esos son asuntos de ustedes en
el monte! ¡Aquí está bajo nuestra protección! . . . ¡No se pasa!¹⁷   30

---

13. **sin . . . picara** without being stung by a single ray.
14. **conforme llegó** as soon as he got there.
15. **del todo** completely.
16. **para acabar de matarlo** to finish the job of killing him.
17. **¡No se pasa!** No one gets by!

—¡Paso! —rugió por última vez el tigre.

—¡¡Ni Nunca!!¹⁸ —respondieron las rayas
(Ellas dijeron "ni nunca" porque así dicen los que hablan
guaraní,¹⁹ como en Misiones).

—¡Vamos a ver! —bramó aún el tigre. Y retrocedió para ₅
tomar impulso y dar un enorme salto.

El tigre sabía que las rayas están casi siempre en la orilla; y
pensaba que si lograba dar un salto muy grande acaso no hallara
más rayas en el medio del río, y podría así comer al hombre
moribundo. ₁₀

Pero las rayas lo habían adivinado, y corrieron todas al medio
del río, pasándose la voz:²⁰

—¡Fuera de la orilla! —gritaban bajo el agua. —¡Adentro!
¡A la canal! ¡A la canal!

Y en un segundo el ejército de rayas se precipitó río adentro,²¹ ₁₅
a defender el paso, a tiempo que el tigre daba su enorme salto
y caía en medio del agua. Cayó loco de alegría, porque en el
primer momento no sintió ninguna picadura, y creyó que las
rayas habían quedado todas en la orilla, engañadas . . .

Pero apenas dio un paso, una verdadera lluvia de aguijonazos, ₂₀
como puñaladas de dolor, lo detuvieron en seco:²² eran otra
vez las rayas, que le acribillaban las patas a picaduras.²³

El tigre quiso continuar, sin embargo; pero el dolor era tan
atroz, que lanzó un alarido y retrocedió corriendo como loco
a la orilla. Y se echó en la arena de costado,²⁴ porque no podía ₂₅
más de sufrimiento;²⁵ y la barriga subía y bajaba como si
estuviera cansadísimo.

18. ¡¡Ni Nunca!! Never ever!!
19. guaraní *Language spoken by the Guaranis, an Indian nation living in areas of
Argentina, Bolivia, Paraguay, and Brazil.*
20. pasándose la voz passing the word along.
21. río adentro toward the middle of the river.
22. lo detuvieron en seco stopped him "cold."
23. le . . . picaduras were riddling his paws with stings.
24. de costado on his side.
25. no podía más de sufrimiento he was overcome with pain.

Lo que pasaba es que el tigre estaba envenenado por el
veneno de las rayas.

Pero aunque hubieran vencido al tigre, las rayas no estaban
tranquilas porque tenían miedo de que viniera la tigra, y otros
tigres, y otros muchos más ... Y ellas no podrían defender 5
más el paso.

En efecto, el monte bramó de nuevo, y apareció la tigra
que se puso loca de furor al ver al tigre tirado[26] de costado en
la arena. Ella vio también al agua turbia por el movimiento
de las rayas, y se acercó al río. Y tocando casi el agua con la 10
boca, gritó:

—¡Rayas! ¡Quiero paso!

—¡No hay paso! —respondieron las rayas.

—¡No va a quedar una sola raya con cola, si no dan paso!
—rugió la tigra.   15

—¡Aunque quedemos sin cola, no se pasa! —respondieron
ellas.

—¡Por última vez, paso!

—¡Ni Nunca! —gritaron las rayas.

La tigra, enfurecida, había metido sin querer[27] una pata en 20
el agua: y una raya, acercándose despacito, acababa de clavarle
todo el aguijón entre los dedos. Al bramido de dolor del animal,
las rayas respondieron, sonriéndose.

—¡Parece que todavía tenemos cola! ...

Pero la tigra había tenido una idea, y con esa idea entre las 25
cejas, se alejaba de allí, costeando el río aguas arriba,[28] y sin
decir una palabra.

Mas las rayas comprendieron también esta vez cuál era el plan
de su enemigo. El plan de su enemigo era éste: pasar el río por
otra parte, donde las rayas no sabían que había que defender el 30
paso. Y una inmensa ansiedad se apoderó entonces de las rayas.

---

26. **tirado** stretched out.
27. **sin querer** unintentionally.
28. **costeando el río aguas arriba** going upstream along the river's edge.

—¡Va a pasar el río aguas más arriba![29] —gritaron. —¡No queremos que mate al hombre! ¡Tenemos que defender a nuestro amigo!

Y se revolvían desesperadas entre el barro hasta enturbiar el río.

—¡Pero qué hacemos! —decían. —Nosotras no sabemos nadar ligero . . . ¡La tigra va a pasar antes que las rayas de allá sepan que hay que defender el paso a toda costa!

Y no sabían qué hacer. Hasta que una rayita muy inteligente dijo de pronto:

—¡Ya está![30] ¡Que vayan los dorados![31] ¡Los dorados son amigos nuestros! ¡Ellos nadan más ligero que nadie!

—¡Eso es! —gritaron todas. —¡Que vayan los dorados!

Y en un instante la voz pasó y en otro instante se vieron ocho o diez filas de dorados, un verdadero ejército de dorados que nadaban a toda velocidad aguas arriba, y que iban dejando surcos en el agua, como los torpedos.

A pesar de todo, apenas tuvieron tiempo de dar la orden de cerrar el paso[32] a los tigres; la tigra ya había nadado, y estaba por llegar a[33] la isla.

Pero las rayas habían corrido ya a la otra orilla y en cuanto la tigra hizo pie,[34] las rayas se abalanzaron contra sus patas, deshaciéndoselas a aguijonazos.[35] El animal, enfurecido y loco de dolor, bramaba, saltaba en el agua, hacía volar nubes de agua a manotones.[36] Pero las rayas continuaban precipitándose contra

---

29. **aguas más arriba!** farther up!
30. **¡Ya está!** I've got it!
31. **¡Que vayan los dorados!** Let the dorados go. (*A* dorado *is a brightly colored fish with spiny fins, related to the bass.*)
32. **cerrar el paso** to block the way.
33. **estaba por llegar a** was about to reach. (*In Spanish America this construction is often used instead of* **estar para.**)
34. **en . . . pie** as soon as the jaguaress stood up.
35. **deshaciéndoselas a aguijonazos** stinging them all over.
36. **hacía . . . manotones** slapped the water with her paws, splashing it high into the air.

sus patas, cerrándole el paso de tal modo que la tigra dio vuelta, nadó de nuevo y fue a echarse a su vez a la orilla, con las cuatro patas monstruosamente hinchadas; por allí tampoco se podía ir a comer al hombre.

Mas las rayas estaban también muy cansadas. Y lo que es 5 peor el tigre y la tigra habían acabado por levantarse³⁷ y entraban en el monte.

¿Qué iban a hacer? Esto tenía muy inquietas a las rayas, y tuvieron una larga conferencia. Al fin dijeron:

—¡Ya sabemos lo que es! Van a ir a buscar a los otros tigres 10 y van a venir todos. ¡Van a venir todos los tigres, y van a pasar!

—¡Ni Nunca! —gritaron las rayas más jóvenes y que no tenían tanta experiencia.

—¡Sí, pasarán! —respondieron tristemente las más viejas.

—Si son muchos, acabarán por pasar . . . Vamos a consultar 15 a nuestro amigo.

Y fueron todas a ver al hombre, pues no habían tenido tiempo aún de hacerlo, por defender el paso del río.³⁸

El hombre estaba todavía tendido, porque había perdido mucha sangre, pero podía hablar y moverse un poquito. En un 20 instante las rayas le contaron lo que había pasado, y cómo habían defendido el paso a los tigres que lo querían comer. El hombre herido se enterneció mucho con la amistad de las rayas que le habían salvado la vida, y dio la mano con verdadero cariño a las rayas que estaban más cerca de él. Y dijo entonces: 25

—¡No hay remedio! Si los tigres son muchos, y quieren pasar, pasarán . . .

—¡No pasarán! —dijeron las rayas chicas. —¡Usted es nuestro amigo y no van a pasar!

—¡Sí, pasarán, compañeritas! —dijo el hombre. —Y añadió 30 hablando en voz baja:

—El único modo sería mandar a alguien a casa a buscar el

---

37. **habían acabado por levantarse**   had finally gotten up.
38. **por . . . río**   because they had been defending the river.

winchester con muchas balas ... pero yo no tengo ningún amigo en el río, fuera de los pescados ... y ninguna de ustedes sabe andar por la tierra ...

—¿Qué hacemos entonces? —dijeron las rayas ansiosas.

—A ver,[39] a ver ... —dijo entonces el hombre, pasándose la 5 mano por la frente, como si recordara algo. —Yo tuve un amigo ... un carpinchito[40] que se crió en casa y que jugaba con mis hijos ... un día volvió otra vez al monte y creo que vivía aquí, en el Yabebirí ... pero no sé dónde estará ...[41]

Las rayas dieron entonces un grito de alegría: 10

—¡Ya sabemos! ¡Nosotras lo conocemos! ¡Tiene su guarida en la punta de la isla! ¡El nos habló una vez de usted! ¡Lo vamos a mandar buscar en seguida![42]

Y dicho y hecho:[43] un dorado muy grande voló río abajo a buscar al carpinchito; mientras el hombre disolvía una gota de 15 sangre seca en la palma de la mano, para hacer tinta, y con una espina de pescado, que era la pluma, escribió en una hoja seca, que era el papel. Y escribió esta carta: *Mándenme con el carpinchito el winchester y una caja entera de 25 balas.*

Apenas acabó el hombre de escribir,[44] el monte entero 20 tembló con un sordo rugido: eran todos los tigres que se acercaban a entablar la lucha. Las rayas llevaron la carta con la cabeza fuera del agua para que no se mojara, y se la dieron al carpinchito, el cual salió corriendo por entre el pajonal a llevarla a la casa del hombre. 25

Y ya era tiempo, porque los rugidos, aunque lejanos aún,

---

39. **A ver** Let's see.

40. **carpinchito** *an example of the diminutive used to indicate an affectionate attitude on the part of the speaker. The* **carpincho** *or capybara is the largest living rodent—about three or four feet long—and is found along the banks of South American rivers.*

41. **no sé dónde estará** I don't know where he could be. (*The future tense here is used to suggest probability or conjecture in the present.*)

42. **¡Lo ... seguida!** We are going to send someone to look for him right away!

43. **Y dicho y hecho** And no sooner said than done.

44. **Apenas ... escribir** Just as the man finished writing.

se acercaban velozmente. Las rayas reunieron entonces a los dorados que estaban esperando órdenes, y les gritaron:

—¡Ligero, compañeros! ¡Recorran todo el río y den la voz de alarma! ¡Que todas las rayas estén prontas en todo el río![45] ¡Que se encuentren todas alrededor de la isla![46] ¡Veremos si   5 van a pasar!

Y el ejército de dorados voló en seguida, río arriba y río abajo, haciendo rayas en el agua con la velocidad que llevaban.

No quedó raya en todo el Yabebirí que no recibiera orden de concentrarse en las orillas del río, alrededor de la isla. De 10 todas partes: de entre las piedras, de entre el barro, de la boca de los arroyitos, de todo el Yabebirí entero, las rayas acudían a defender el paso contra los tigres. Y por delante de la isla, los dorados cruzaban y recruzaban a toda velocidad.

Ya era tiempo, otra vez; un inmenso rugido hizo temblar el 15 agua misma de la orilla, y los tigres desembocaron en la costa.

Eran muchos; parecía que todos los tigres de Misiones estuvieran allí. Pero el Yabebirí entero hervía también de rayas, que se lanzaron a la orilla, dispuestas a defender a todo trance[47] el paso.   20

—¡Paso a los tigres!

—¡No hay paso! —respondieron las rayas.

—¡Paso, de nuevo!

—¡No se pasa!

—¡No va a quedar raya, ni hijo de raya, ni nieto de raya, si no 25 dan paso!

—¡Es posible! —respondieron las rayas. —Pero ni los tigres, ni los hijos de los tigres, ni los nietos de tigre, ni todos los tigres del mundo van a pasar por aquí.

Así respondieron las rayas. Entonces los tigres rugieron por 30 última vez:

---

45. **¡Que ... río!**   Have all the rays all along the river be ready!
46. **¡Que ... isla!**   Have them get all around the island!
47. **a todo trance**   at any cost.

—¡Paso, pedimos!

—¡Ni Nunca!

Y la batalla comenzó entonces. Con un enorme salto los tigres se lanzaron al agua. Y cayeron todos sobre un verdadero piso de rayas. Las rayas les acribillaban las patas a aguijonazos,[48] y a cada herida los tigres lanzaban un rugido de dolor. Pero ellos se defendían a zarpazos, manoteando como locos en el agua. Y las rayas volaban por el aire con el vientre abierto por las uñas de los tigres.

El Yabebirí parecía un río de sangre. Las rayas morían a centenares . . . pero los tigres recibían también terribles heridas, y se retiraban a tenderse y bramar en la playa, horriblemente hinchados. Las rayas, pisoteadas, deshechas por las patas de los tigres, no desistían; acudían sin cesar a defender el paso. Algunas volaban por el aire, volvían a caer[49] al río, y se precipitaban de nuevo contra los tigres.

Media hora duró esta lucha terrible. Al cabo de esa media hora, todos los tigres estaban otra vez en la playa, sentados de fatiga y rugiendo de dolor; ni uno solo había pasado.

Pero las rayas estaban también deshechas de cansancio. Muchas, muchísimas habían muerto. Y las que quedaban vivas dijeron:

—No podremos resistir dos ataques como éste. ¡Que los dorados vayan a buscar refuerzos! ¡Que vengan en seguida todas las rayas que haya en el Yabebirí!

Y los dorados volaron otra vez río arriba y río abajo, e iban tan ligero que dejaban surcos en el agua, como los torpedos.

Las rayas fueron entonces al hombre.

—¡No podremos resistir más! —le dijeron tristemente las rayas. Y aún algunas rayas lloraban, porque veían que no podrían salvar a su amigo.

—¡Váyanse, rayas! —respondió el hombre herido. —¡Déjenme

48. **les . . . aguijonazos** were riddling their paws with stings.
49. **volvían a caer** fell again.

solo! ¡Ustedes han hecho ya demasiado por mí! ¡Dejen que los
tigres pasen!

—¡Ni Nunca! —gritaron las rayas en un solo clamor.

—¡Mientras haya una sola raya en el Yabebirí, que es nuestro
río, defenderemos al hombre bueno que nos defendió antes a   5
nosotros!

El hombre herido exclamó entonces, contento:

—¡Rayas! Yo estoy casi por morir, y apenas puedo hablar;
pero yo les aseguro que en cuanto llegue el winchester, vamos
a tener farra para largo rato; ¡esto yo se lo aseguro a ustedes!   10

—¡Sí, ya lo sabemos! —contestaron las rayas entusiasmadas.
Pero no pudieron concluir de hablar, porque la batalla
recomenzaba. En efecto: los tigres, que ya habían descansado,
se pusieron bruscamente de pie,[50] y agachándose como quien
va a saltar,[51] rugieron: 15

—¡Por última vez, y de una vez por todas:[52] paso!

—¡Ni Nunca! —respondieron las rayas lanzándose a la orilla.
Pero los tigres habían saltado a su vez al agua y recomenzó la
terrible lucha. Todo el Yabebirí, ahora, de orilla a orilla, estaba
rojo de sangre, y la sangre hacía espuma en la arena de la playa.   20
Las rayas volaban deshechas por el aire y los tigres bramaban
de dolor; pero nadie retrocedía un paso.

Y los tigres no sólo no retrocedían, sino que avanzaban.
En balde el ejército de dorados pasaba a toda velocidad río
arriba y río abajo, llamando a las rayas: las rayas se habían con-   25
cluido; todas estaban luchando frente a la isla y la mitad había
muerto ya. Y las que quedaban estaban todas heridas y sin
fuerzas.

Comprendieron entonces que no podrían sostenerse un minuto
más, y que los tigres pasarían; y las pobres rayas, que preferían   30
morir antes que entregar a su amigo, se lanzaron por última vez

50. **se pusieron bruscamente de pie**   suddenly stood up.
51. **como quien va a saltar**   like someone who is going to leap.
52. **de una vez por todas**   once and for all.

contra los tigres. Pero ya todo era inútil. Cinco tigres nadaban ya hacia la costa de la isla. Las rayas, desesperadas, gritaron:

—¡A la isla! ¡Vamos todas a la otra orilla!

Pero también esto era tarde: dos tigres más se habían echado a nadar,[53] y en un instante todos los tigres estuvieron en el medio del río, y no se veía más que sus cabezas.

Pero también en ese momento un animalito, un pobre animalito colorado y peludo cruzaba nadando a toda fuerza el Yabebirí; era el carpinchito, que llegaba a la isla llevando el winchester y las balas en la cabeza para que no se mojaran.

El hombre dio un gran grito de alegría, porque le quedaba tiempo para entrar en defensa de las rayas. Le pidió al carpinchito que lo empujara con la cabeza para colocarse de costado,[54] porque él solo no podía; y ya en esta posición cargó el winchester con la rapidez de un rayo.

Y en el preciso momento en que las rayas, desgarradas, aplastadas, ensangrentadas, veían con desesperación que habían perdido la batalla y que los tigres iban a devorar a su pobre amigo herido: —en ese momento oyeron un estampido, y vieron que el tigre que iba adelante y pisaba ya la arena, daba un gran salto y caía muerto, con la frente agujereada de un tiro.

—¡Bravo, bravo! —clamaron las rayas, locas de contentas.[55]

—¡El hombre tiene el winchester! ¡Ya estamos salvadas!

Y enturbiaban toda el agua verdaderamente locas de alegría. Pero el hombre proseguía tranquilo tirando, y cada tiro era un nuevo tigre muerto. Y a cada tigre que caía muerto lanzando un rugido, las rayas respondían con grandes sacudidas de la cola.

Uno tras otro, como si el rayo cayera entre sus cabezas, los tigres fueron muriendo a tiros.[56] Aquello duró solamente dos

---

53. **se habían echado a nadar**   had started swimming.
54. **Le . . . costado**   He asked the capybara to push him over with its head so he could lie on his side.
55. **locas de contentas**   wild with joy.
56. **fueron muriendo a tiros**   were being killed by the shots.

minutos. Uno tras otro se fueron al fondo del río, y allí las palometas los comieron. Algunos boyaron después, y entonces los dorados los acompañaron hasta el Paraná, comiéndolos, y haciendo saltar el agua de contentos.[57] En poco tiempo las rayas, que tienen muchos hijos, volvieron 5 a ser tan numerosas como antes. El hombre se curó, y quedó tan agradecido a las rayas que le habían salvado la vida, que se fue a vivir a la isla. Y allí, en las noches de verano, le gustaba tenderse en la playa y fumar a la luz de la luna, mientras las rayas, hablando despacito se lo mostraban a los pescados que no lo 10 conocían, contándoles la gran batalla que, aliadas a ese hombre, habían tenido una vez contra los tigres.

Exercises

A. QUESTIONS

1. ¿Por qué es peligroso meter un pie en el río Yabebirí?
2. ¿A quién estaban agradecidos los pescados? ¿Por qué?
3. Según el zorro, ¿qué le había pasado al hombre en el monte?
4. ¿Por qué se desmayó el hombre en la isla?
5. ¿Qué pasó cuando el tigre metió una pata en el agua?
6. ¿Cómo reaccionó el tigre?
7. ¿De qué tenían miedo después las rayas?
8. ¿Qué debían hacer los dorados?
9. ¿Cuál era el plan del hombre para vencer a los tigres?
10. ¿Con qué escribió el hombre la carta para el carpinchito?
11. ¿Ahora dónde se concentraban las rayas?
12. ¿Cuántos tigres aparecieron en la costa del río?
13. ¿Qué contestaron las rayas cuando los tigres pidieron paso por última vez?
14. ¿Cómo estaba el Yabebirí durante la terrible lucha?
15. ¿Qué pasó al final con los tigres?

57. haciendo ... contentos   splashing the water because they were so happy.

B. VERB EXERCISE

Using the expressions in the right-hand column, give the Spanish for the English sentences listed on the left.

1. (a) No, I don't know what she meant.   *querer decir*
   (b) What does all this mean?
2. (a) What good is a car in a small town?   *servir para*
   (b) These won't be good for much.
3. (a) Don't you feel sorry for the little fish?   *tener lástima de*
   (b) Pepe never felt sorry for anyone.
4. (a) Mother wouldn't have gotten mad.   *enojarse*
   (b) I hope you won't get angry.
5. (a) Stand up when I'm talking to you.   *ponerse de pie*
   (b) They stood up when she came in.
6. (a) The poor fellow couldn't go on.   *no poder más*
   (b) Wait, I'm all tired out!
7. (a) It's necessary to pay for it this afternoon.   *haber que*
   (b) You had to be home by eleven o'clock.
8. (a) She used to be afraid of so many things.   *tener miedo de*
   (b) I won't be afraid to admit it to her.
9. (a) Let's go, the train's about to leave.   *estar por*
   (b) He told me he was about to buy another
       ticket.
10. (a) I hope you don't end up buying it yourself.   *acabar por*
    (b) Perhaps we'll end up staying here.

C. DRILL ON NEW EXPRESSIONS

Translate the following sentences into Spanish, selecting from the expressions on the right the one corresponding to the italicized English words on the left.

1. *Let's see*, where did I put my pen?   *en seguida*
2. Don't tell me he's going out with her *again*!   *en cuanto*
3. Why don't we invite *both of them*?   *cuidado con*
4. Yes, I did it, but *unintentionally*.   *por otra parte*
5. *As a matter of fact*, I think she's Argentine.   *los dos*
6. *Watch out for* those fish that sting.   *al cabo de*
7. *Immediately* they began swimming up river.   *a ver*

8. I'll call you *as soon as* I know the time.   *en efecto*
9. *After* eight years he returned to the jungle.   *de nuevo*
10. Why don't we cross the river *elsewhere*.   *sin querer*

D. SENTENCE COMPLETION EXERCISE

Complete, in any way you see fit, the sentence fragments given below by selecting for each a suitable verb from among those listed in Exercise B, observing always the subject indicated here and placing the new verb in an appropriate tense or mood.

EXAMPLE: Yo creo que Vd.   *acabar por* (from Exercise B)
          Completed sentence:
          Yo creo que Vd. acabará por perder todo el dinero.

1. Es imposible que Vds.
2. Julián me dijo que Marta
3. Su madre prefiere que él
4. Si yo fuera tú, yo
5. Cuando lleguen los otros, ella

EL HOMBRE MUERTO

Although few short stories truly deserve the label of "unforgettable," "El hombre muerto" is precisely that—a story that leaves an indelible impression in the mind of the reader. Death may be described from any number of melodramatic perspectives, and frequently it is. What is so striking in this Quiroga story is the utter objectivity with which the end of a man's life is recounted. Moreover, a notable dramatic effect is achieved through the commonplace, seemingly trivial nature of the accident that seals the fate of the protagonist—a humble man whose tragedy, nonetheless, seems overwhelming.

"El hombre muerto" is taken from Los desterrados (1926).

El hombre muerto

El hombre y su machete acababan de limpiar la quinta calle del bananal. Faltábanles aún dos calles; pero como en éstas abundaban las chircas y malvas silvestres,[1] la tarea que tenían por delante era muy poca cosa. El hombre echó en consecuencia una mirada satisfecha a los arbustos rozados, y cruzó el alambrado 5 para tenderse un rato en la gramilla.

Mas al bajar el alambre de púa y pasar el cuerpo, su pie izquierdo resbaló sobre un trozo de corteza desprendida del poste,[2] a tiempo que el machete se le escapaba de la mano. Mientras caía, el hombre tuvo la impresión sumamente lejana de no 10 ver el machete de plano en el suelo.

Ya estaba tendido en la gramilla, acostado sobre el lado derecho, tal como él quería. La boca, que acababa de abrírsele en toda su extensión, acababa también de cerrarse. Estaba como 15 hubiera deseado estar, las rodillas dobladas y la mano izquierda sobre el pecho. Sólo que tras el antebrazo, e inmediatamente por debajo del cinto, surgían de su camisa el puño y la mitad de la hoja del machete; pero el resto no se veía.

El hombre intentó mover la cabeza, en vano. Echó una mirada 20 de reojo a la empuñadura del machete, húmeda aún del sudor de su mano. Apreció mentalmente la extensión y la trayectoria del machete dentro de su vientre, y adquirió, fría, matemática e inexorable, la seguridad de que acababa de llegar al término de su existencia. 25

1. **chircas y malvas silvestres** *chircas* and wild mallows (weeds).
2. **un . . . poste** a loose scrap of bark from the fencepost.

La muerte. En el transcurso de la vida se piensa muchas veces en que un día, tras años, meses, semanas y días preparatorios, llegaremos a nuestro turno al umbral de la muerte. Es la ley fatal, aceptada y prevista; tanto, que solemos dejarnos llevar placenteramente por la imaginación a ese momento, supremo entre 5 todos, en que lanzamos el último suspiro.

Pero entre el instante actual y esa postrera espiración, ¡qué de³ sueños, trastornos, esperanzas y dramas presumimos en nuestra vida! ¡Qué nos reserva aún esta existencia llena de vigor, antes de su eliminación del escenario humano! Es éste el consuelo, 10 el placer y la razón de nuestras divagaciones mortuorias: ¡Tan lejos está la muerte, y tan imprevisto lo que debemos vivir aún!

¿Aún?... No han pasado dos segundos: el sol está exactamente a la misma altura; las sombras no han avanzado un milímetro. Bruscamente, acaban de resolverse para el hombre 15 tendido las divagaciones a largo plazo: Se está muriendo.

Muerto. Puede considerarse muerto en su cómoda postura.

Pero el hombre abre los ojos y mira. ¿Qué tiempo ha pasado? ¿Qué cataclismo ha sobrevenido en el mundo? ¿Qué trastorno de la naturaleza trasuda el horrible acontecimiento?⁴ 20

Va a morir. Fría, fatal e ineludiblemente, va a morir.

El hombre resiste —¡es tan imprevisto ese horror! Y piensa: Es una pesadilla; ¡esto es! ¿Qué ha cambiado? Nada. Y mira: ¿No es acaso ese bananal su bananal? ¿No viene todas las mañanas a limpiarlo? ¿Quién lo conoce como él? Ve perfecta- 25 mente el bananal, muy raleado, y las anchas hojas desnudas al sol. Allí están, muy cerca, deshilachadas por el viento. Pero ahora no se mueven... Es la calma de mediodía; pronto deben ser las doce.

Por entre los bananos, allá arriba, el hombre ve desde el duro 30 suelo el techo rojo de su casa. A la izquierda, entreví el monte y

---

3. **de** *Do not translate.*
4. **¿Qué ... acontecimiento?** What disorder of nature is the cause of the horrible event?

la capuera de canelas. No alcanza a ver más, pero sabe muy bien que a sus espaldas está el camino al puerto nuevo; y que en la dirección de su cabeza, allá abajo, yace en el fondo del valle el Paraná[5] dormido como un lago. Todo, todo exactamente como siempre; el sol de fuego, el aire vibrante y solitario, los bananos 5 inmóviles, el alambrado de postes muy gruesos y altos que pronto tendrá que cambiar.

¡Muerto! ¿Pero es posible? ¿No es éste uno de los tantos días en que ha salido al amanecer de su casa con el machete en la mano? ¿No está allí mismo, a cuatro metros de él, su caballo, 10 su malacara, oliendo parsimoniosamente el alambre de púa? ¡Pero sí! Alguien silba . . . No puede ver, porque está de espaldas al camino; mas siente resonar en el puentecito los pasos del caballo . . . Es el muchacho que pasa todas las mañanas hacia el puerto nuevo, a las once y media. Y siempre silbando . . . 15 Desde el poste descascarado que toca casi con las botas, hasta el cerco vivo de monte que separa el bananal del camino, hay quince metros largos. Lo sabe perfectamente bien, porque él mismo, al levantar el alambrado, midió la distancia.

¿Qué pasa, entonces? ¿Es ése o no un natural mediodía de 20 los tantos en Misiones, en su monte, en su potrero, en su bananal ralo? ¡Sin duda! Gramilla corta, conos de hormigas, silencio, sol a plomo[6] . . .

Nada, nada ha cambiado. Sólo él es distinto. Desde hace dos minutos su persona, su personalidad viviente, nada tiene ya que 25 ver ni con el potrero, que formó él mismo a azada, durante cinco meses consecutivos; ni con el bananal, obra de sus solas manos. Ni con su familia. Ha sido arrancado bruscamente, naturalmente, por obra de una cáscara lustrosa y un machete en el vientre. Hace dos minutos: Se muere. 30

El hombre, muy fatigado y tendido en la gramilla sobre el

5. **Paraná** *The Paraná River, which forms the border between Brazil and Argentina along the northern border of the Argentine province of Misiones.*
6. **sol a plomo** sun beating straight down.

costado derecho, se resiste siempre a admitir un fenómeno de esa trascendencia, ante el aspecto normal y monótono de cuanto mira. Sabe bien la hora: las once y media . . . El muchacho de todos los días acaba de pasar sobre el puente.

¡Pero no es posible que haya resbalado . . .! El mango de su machete (pronto deberá cambiarlo por otro; tiene ya poco vuelo) estaba perfectamente oprimido entre su mano izquierda y el alambre de púa. Tras diez años de bosque, él sabe muy bien cómo se maneja un machete de monte. Está solamente muy fatigado del trabajo de esa mañana, y descansa un rato como de costumbre.

¿La prueba? . . . ¡Pero esa gramilla que entra ahora por la comisura de su boca la plantó él mismo, en panes de tierra distantes un metro uno de otro![7] ¡Y ése es su bananal; y ése es su malacara, resoplando cauteloso ante las púas del alambre! Lo ve perfectamente; sabe que no se atreve a doblar la esquina del alambrado, porque él está echado casi al pie del poste. Lo distingue muy bien; y ve los hilos oscuros de sudor que arrancan de la cruz y del anca. El sol cae a plomo, y la calma es muy grande, pues ni un fleco de los bananos se mueve. Todos los días, como ése, ha visto las mismas cosas.

. . . Muy fatigado, pero descansa sólo. Deben de haber pasado ya varios minutos . . . y a las doce menos cuarto, desde allá arriba, desde el chalet de techo rojo, se desprenderán hacia el bananal su mujer y sus dos hijos, a buscarlo para almorzar. Oye siempre, antes que las demás, la voz de su chico menor que quiere soltarse de la mano de su madre: ¡Piapiá![8] ¡Piapiá!

—¿No es eso? . . . ¡Claro, oye! Ya es la hora. Oye efectivamente la voz de su hijo . . .

¡Qué pesadilla! . . . ¡Pero es uno de los tantos días, trivial como todos, claro está! Luz excesiva, sombras amarillentas, calor silencioso de horno sobre la carne, que hace sudar al malacara inmóvil ante el bananal prohibido.

7. **panes . . . otro** clumps of sod spaced one meter apart.
8. **¡Piapiá!** Daddy!

. . . Muy cansado, mucho, pero nada más. ¡Cuántas veces, a mediodía como ahora, ha cruzado volviendo a casa ese potrero, que era capuera cuando él llegó, y que antes había sido monte virgen! Volvía entonces, muy fatigado también, con su machete pendiente de la mano izquierda, a lentos pasos.   5

Puede aún alejarse con la mente, si quiere; puede si quiere abandonar un instante su cuerpo y ver desde el tajamar por él construido, el trivial paisaje de siempre: el pedregullo volcánico con gramas rígidas; el bananal y su arena roja; el alambrado empequeñecido en la pendiente, que se acoda hacia el camino.[9] 10 Y más lejos aún ver el potrero, obra sola de sus manos. Y al pie de un poste descascarado, echado sobre el costado derecho y las piernas recogidas, exactamente como todos los días, puede verse a él mismo, como un pequeño bulto asoleado sobre la gramilla, descansando, porque está muy cansado . . .   15

Pero el caballo rayado de sudor, e inmóvil de cautela ante el esquinado del alambrado, ve también al hombre en el suelo y no se atreve a costear el bananal, como desearía. Ante las voces que ya están próximas —¡Piapiá!—, vuelve un largo, largo rato las orejas inmóviles al bulto: y tranquilizado al fin, se decide a pasar 20 entre el poste y el hombre tendido —que ya ha descansado.

Exercises

A. QUESTIONS

1. ¿Qué había estado haciendo el hombre?
2. ¿Qué pasó cuando quiso cruzar el alambrado?
3. ¿Dónde estaba el machete?
4. ¿De qué se dio cuenta el hombre?
5. ¿Había cambiado mucho el mundo a su alrededor?

9. **el . . . camino** the wire fence, growing smaller in the distance along the slope, that drifts toward the road.

6. ¿A quién oyó silbar?
7. ¿Por qué no se atrevía el caballo a doblar la esquina del alambrado?
8. ¿Quién lo iba a venir a buscar a las doce menos cuarto?
9. ¿En qué pensaba el hombre mientras "descansaba"?
10. Al final, ¿qué hizo el caballo? ¿Por qué?

B. VERB EXERCISE

Using the expressions in the right-hand column, give the Spanish for the English sentences listed on the left.

1. (a) She had just cleaned the house.   *acabar de*
   (b) We've just arrived from Mendoza.
2. (a) I can't come yet; I've got ten pages left.   *faltarle a uno*
   (b) He thinks they needed experience.
3. (a) Eduardo wants you to have a look at this.   *echar una mirada*
   (b) Yes, I glanced at it yesterday.
4. (a) Marta had the feeling that they didn't   *tener la impresión*
       understand her.
   (b) I think he feels that you're too young.
5. (a) They usually go to the beach in August.   *soler*
   (b) We were in the habit of getting up very
       early.
6. (a) I doubt that he'll manage to start it today.   *alcanzar a*
   (b) Leo succeeded in talking to her about the
       problem.
7. (a) What's that got to do with me?   *tener que ver*
   (b) What we said didn't have anything to do
       with his decision.
8. (a) He refused to believe the story they told   *resistirse a*
       him.
   (b) For many years he has resisted admitting
       the truth.
9. (a) Who would dare say that to him?   *atreverse a*
   (b) I didn't dare ask the price.
10. (a) Children, don't go very far away.   *alejarse*
    (b) Chapo walked away when he saw her.

C. DRILL ON NEW EXPRESSIONS

Translate the following sentences into Spanish, selecting from the expressions on the right the one corresponding to the italicized English words on the left.

1. He had a great future *ahead*.   *muy poca cosa*
2. There was Elsa with her *usual* boyfriend.   *de reojo*
3. The age difference between them was *slight*.   *allá arriba*
4. I saw her look at you *out of the corner of her eye*.   *en vano*
5. *How often* I've thought about that summer!   *de siempre*
6. Don Pedro is the owner of *all* you see here.   *por delante*
7. Let's stay outside *for a while*.   *durante*
8. We lived in Mexico *for* more than ten years.   *cuanto*
9. All that Alicia did was *in vain*.   *un rato*
10. Juancito, what were you doing *up there*?   *cuántas veces*

D. SENTENCE COMPLETION EXERCISE

Complete, in any way you see fit, the sentence fragments given below by selecting for each a suitable verb from among those listed in Exercise B, observing always the subject indicated here and placing the new verb in an appropriate tense or mood.

1. Estoy seguro que Vds.
2. Alejandro no cree que nosotros
3. ¿No tienes tú miedo de que él
4. Me parece que Mariano
5. Alberto se enojó porque Nora

TACUARA-MANSIÓN

The anecdotal "Tacuara-Mansión" deals with several of the real-life characters Quiroga came to know intimately during his years in and around San Ignacio, a small town on the Paraná River in Misiones. It is the most picturesque of the Quiroga stories gathered here, and offers a fascinating view of the life and customs of this outpost of civilization.

The curious personalities of the "exiles" who, for various reasons, drift into Misiones to spend their final years serve as the focus of the second part of Quiroga's short story collection, Los desterrados (*1926*)— *a section made up of seven tales in which Don Juan Brown, Monsieur Rivet and other figures make repeated appearances. In "Tacuara-Mansión," the admirable blend of humor and irony lends an appealing flavor to one of Quiroga's best-remembered accounts of the colorful life in Misiones that he had observed first-hand.*

Tacuara-Mansión

Frente al rancho de don Juan Brown, en Misiones, se levanta un árbol de gran diámetro y ramas retorcidas, que presta a aquél frondosísimo amparo. Bajo este árbol murió, mientras esperaba el día para irse a su casa, Santiago Rivet, en circunstancias bastante singulares para que merezcan ser contadas.   5
Misiones, colocada a la vera de un bosque que comienza allí y termina en el Amazonas,[1] guarece a una serie de tipos a quienes podría lógicamente imputarse cualquier cosa, menos el ser aburridos. La vida más desprovista de interés al norte de Posadas,[2] encierra dos o tres pequeñas epopeyas de trabajo o de   10
carácter, si no de sangre. Pues bien se comprende que no son tímidos gatitos de civilización los tipos que del primer chapuzón o en el reflujo final de sus vidas, han ido a encallar allá.[3]

Sin alcanzar los contornos pintorescos de un Joao Pedro,[4] por ser otros los tiempos y otro el carácter del personaje, don   15
Juan Brown merece mención especial entre los tipos de aquel ambiente.

Brown era argentino y totalmente criollo, a despecho de una

1. **el Amazonas**   *The Amazon River.*
2. **Posadas**   *The principal city of the Argentine province of Misiones.*
3. **Pues . . . allá**   So then one understands that the characters who, in the face of early setbacks or in the ebb-tide of their life, have run aground there are not shy little kittens of civilization.
4. **Joao Pedro**   *A Brazilian Negro general who fled to Misiones following a revolution in his country. He figures prominently in Quiroga's story "Los desterrados".*

gran reserva británica. Había cursado en La Plata[5] dos o tres brillantes años de ingeniería. Un día, sin que sepamos por qué, cortó sus estudios y derivó hasta Misiones. Creo haberle oído decir que llegó a Iviraromí por un par de horas, asunto de[6] ver las ruinas. Mandó más tarde buscar sus valijas a Posadas para 5 quedarse dos días más, y allí lo encontré yo quince años después, sin que en todo ese tiempo hubiera abandonado una sola hora el lugar. No le interesaba mayormente el país; se quedaba allí, simplemente por no valer sin duda la pena hacer otra cosa.[7]

Era un hombre joven todavía, grueso y más que grueso muy 10 alto, pues pesaba 100 kilos. Cuando galopaba —por excepción[8]— era fama que se veía al caballo doblarse por el espinazo, y a don Juan sostenerlo con los pies en tierra.[9]

En relación con su grave empaque,[10] don Juan era poco amigo de palabras. Respiraba con cierta dificultad, a causa de su cor- 15 pulencia. Cenaba siempre a las cuatro de la tarde, y al anochecer llegaba infaliblemente al bar, fuere el tiempo que hubiere,[11] al paso de su heroico caballito, para retirarse también infaliblemente el último de todos. Llamábasele "don Juan" a secas, e inspiraba tanto respeto su volumen como su carácter. He aquí 20 dos muestras de ese raro carácter.

Cierta noche, jugando al truco con el juez de paz de entonces, el juez se vió en mal trance[12] e intentó una trampa. Don Juan miró a su adversario sin decir palabra, y prosiguió jugando. Alentado el mestizo, y como la suerte continuara favoreciendo a 25

---

5. **La Plata** *Capital city of the province of Buenos Aires and site of the National University of La Plata.*
6. **asunto de** for the purpose of.
7. **por . . . cosa** because doubtlessly it wasn't worth the trouble to do anything else.
8. **por excepción** which was not often.
9. **era . . . tierra** it was said you could see the horse's spine bent in half and Don Juan holding him up with his feet on the ground.
10. **En . . . empaque** In keeping with his grave appearance.
11. **fuere . . . hubiere** no matter what the weather might be.
12. **se . . . trance** found himself in a bit of trouble.

don Juan, tentó una nueva trampa. Juan Brown echó una ojeada
a las cartas, y dijo tranquilo al juez:

—Hiciste trampa de nuevo; da las cartas otra vez.

Disculpas efusivas del mestizo, y nueva reincidencia. Con
igual calma, don Juan le advirtió:

—Has vuelto a hacer trampa; da las cartas de nuevo.

Cierta noche, durante una partida de ajedrez, se le cayó a don
Juan el revólver, y el tiro partió.[13] Brown recogió su revólver
sin decir una palabra y prosiguió jugando, ante los bulliciosos
comentarios de los contertulios, cada uno de los cuales, por lo
menos, creía haber recibido la bala.[14] Sólo al final se supo
que quien la había recibido en una pierna, era el mismo don
Juan.

Brown vivía solo en Tacuara-Mansión (así llamada porque
estaba en verdad construida de caña tacuara, y por otro malicioso
motivo). Servíale de cocinero un húngaro de mirada muy dura
y abierta, y que parecía echar las palabras en explosiones a
través de los dientes. Veneraba a don Juan, el cual, por su parte,
apenas le dirigía la palabra.

Final[15] de este carácter: Muchos años después cuando en
Iviraromí hubo un piano, se supo recién entonces[16] que don
Juan era un eximio ejecutante.

Lo más particular de don Juan Brown, sin embargo, eran las
relaciones que cultivaba con monsieur Rivet, llamado oficial-
mente Santiago-Guido-Luciano-María Rivet.

Era éste un perfecto ex hombre, arrojado hasta Iviraromí por
la última oleada de su vida. Llegado al país veinte años atrás, y
con muy brillante actuación luego en la dirección técnica de una

13. **el tiro partió** it went off.
14. **creía ... bala** thought he had been hit.
15. **Final** Last (note).
16. **recién entonces** only then.

destilería de Tucumán,[17] redujo poco a poco el límite de sus actividades intelectuales, hasta encallar por fin en Ivíraromí, en carácter de despojo humano.[18]

Nada sabemos de su llegada allá. Un crepúsculo, sentados a las puertas del bar, lo vimos desembocar del monte de las ⁵ ruinas [19] en compañía de Luisser, un mecánico manco, tan pobre como alegre, y que decía siempre no faltarle nada[20] a pesar de que le faltaba un brazo.

En esos momentos el optimista sujeto se ocupaba de la destilación de hojas de naranjo, y la llegada de un químico ¹⁰ industrial de la talla de Rivet fue un latigazo de excitación para las fantasías del pobre manco. Él nos informó de la personalidad de monsieur Rivet, presentándolo un sábado de noche en el bar, que desde entonces honró con su presencia.

Monsieur Rivet era un hombrecillo diminuto, muy flaco, y ¹⁵ que los domingos se peinaba el cabello en dos grasientas ondas a ambos lados de la frente. Entre sus barbas siempre sin afeitar pero nunca largas, tendíanse constantemente adelante sus labios en un profundo desprecio por todos, y en particular por los *doctores* [21] de Ivíraromí. El más discreto ensayo de sapecadoras ²⁰ y secadoras de yerba mate que se comentaba en el bar, apenas arrancaba al químico otra cosa que salivazos de desprecio, y frases entrecortadas:[22]

—¡Tzsh!. . .[23] Doctorcitos . . . No saben nada . . . ¡Tzsh!. . . Porquería . . .   ²⁵

17. **Tucumán** *Capital city of the northwest Argentine province of the same name and center of the country's sugar cane industry.*

18. en . . . humano *as a scrap of human refuse.*

19. lo . . . ruinas *we saw him emerge from the woods where the ruins are located.*

20. que . . . nada *who always said he never lacked anything.*

21. doctores *i.e., all scientists and technicians.*

22. **El . . . entrecortadas** *The most modest experiments with heating or drying machines for* yerba mate *(Paraguayan tea) which came in for discussion at the bar drew little more from the chemist than scornful spitting and half-finished sentences.*

23. ¡Tzsh! *Bah!*

El bar de que hemos hecho referencia era un pequeño hotel
para refrigerio de los turistas que llegaban en invierno hasta
Iviraromí a visitar las famosas ruinas jesuíticas, y que después
de almorzar proseguían viaje hasta el Iguazú,[24] o regresaban a
Posadas. En el resto de las horas, el bar nos pertenecía. Servía de   5
infalible punto de reunión a los pobladores con alguna cultura
de Iviraromí: 17 en total. Y era una de las mayores curiosidades
en aquella amalgama de fronterizos del bosque, el que[25] los
17 jugaran al ajedrez, y bien. De modo que la tertulia desarro-
llábase a veces en silencio entre espaldas dobladas sobre cinco   10
o seis tableros, entre sujetos la mitad de los cuales no podían
concluir de firmar sin secarse dos o tres veces la mano.[26]

A las doce de la noche el bar quedaba desierto, salvo las
ocasiones en que don Juan había pasado toda la mañana y toda
la tarde espaldas al mostrador de todos los boliches de Iviraromí.   15
Don Juan era entonces inconmovible. Malas noches éstas para
el barman, pues Brown poseía la más sólida cabeza del país.
Recostado al despacho de bebidas,[27] veía pasar las horas una
tras otra, sin moverse ni oír al barman, que para advertir a don
Juan salía a cada instante afuera a pronosticar lluvia.   20

Como monsieur Rivet demostraba a su vez una gran resistencia, pronto llegaron el ex ingeniero y el ex químico a
encontrarse en frecuentes vis a vis. No vaya a creerse sin embargo que esta común finalidad y fin de vida hubiera creado el
menor asomo de amistad entre ellos. Don Juan, en pos de un   25
Buenas noches, más indicado que dicho, no volvía a acordarse para
nada de su compañero. Mr. Rivet, por su parte, no disminuía en
honor de Juan Brown el desprecio que le inspiraban los doctores

---

24. **Iguazú**   *The Iguassu River, which forms part of the Argentine-Brazilian border,*
falls 210 feet over a crest of two-and-a-half miles in breadth to produce one of the most
spectacular waterfalls in the world.

25. **el que**   the fact that.

26. **entre ... mano**   in the midst of individuals half of whom couldn't sign
their name without stopping two or three times to wipe their hand.

27. **Recostado ... bebidas**   Propped up at the bar.

de Iviraromí, entre los cuales contaba naturalmente a don Juan. Pasaban la noche juntos y solos, y a veces proseguían la mañana entera en el primer boliche abierto; pero sin mirarse siquiera. Estos originales encuentros se tornaron más frecuentes al mediar el invierno en que el socio de Rivet emprendió la fabri- 5 cación de alcohol de naranja, bajo la dirección del químico. Concluida esta empresa con la catástrofe de que damos cuenta en otro relato,[28] Rivet concurrió todas las noches al bar. Y como don Juan pasaba en esos momentos por una de sus malas crisis, tuvieron ambos ocasión de celebrar vis a vis fantásticos, hasta 10 llegar al último, que fue el decisivo.

Por las razones antedichas y el manifiesto lucro que el dueño del bar obtenía con ellas, éste pasaba las noches en blanco,[29] sin otra ocupación que atender los vasos de los dos socios, y 15 cargar de nuevo la lámpara de alcohol. Frío, habrá que suponerlo en esas crudas noches de junio.[30] Por ello el bolichero se rindió una noche, y después de confiar a la honorabilidad de Brown el resto de la damajuana de caña, se fue a acostar. De más está decir que Brown era únicamente quien respondía de estos gastos a 20 dúo.[31]

Don Juan, pues, y monsieur Rivet quedaron solos a las dos de la mañana, el primero en su lugar habitual, duro e impasible como siempre, y el químico paseando agitado con la frente en sudor, mientras afuera caía una cortante helada. 25

Durante dos horas no hubo novedad alguna; pero al dar las tres,[32] la damajuana se vació. Ambos lo advirtieron, y por un largo rato los ojos globosos y muertos de don Juan se fijaron

28. **de . . . relato** which we relate in another story.
29. **pasaba . . . blanco** spent sleepless nights.
30. **Frío . . . junio.** You could count on cold weather on those rugged June evenings. (*South of the equator the seasons, of course, are reversed.*)
31. **De . . . dúo** It goes without saying that Brown was the only one who accepted responsibility for these two-sided expenses.
32. **al . . . tres** at the stroke of three o'clock.

en el vacío delante de él. Al fin, volviéndose a medias,³³ echó
una ojeada a la damajuana agotada. Otro largo rato transcurrió
y de nuevo volvióse a observar el recipiente. Cogiéndolo por
fin, lo mantuvo boca abajo sobre el cinc; nada: ni una gota.
Una crisis de dipsomanía puede ser derivada con lo que se ⁵
quiera,³⁴ menos con la brusca supresión de la droga. De vez en
cuando,³⁵ y a las puertas mismas del bar, rompía el canto estri-
dente de un gallo, que hacía resoplar a Juan Brown, y perder el
compás de su marcha a Rivet. Al final, el gallo desató la lengua
del químico en improperios pastosos contra los doctorcitos. ₁₀
Don Juan no prestaba a su cháchara convulsiva la menor atención; pero ante el constante: "Porquería . . . no saben nada . . ."
del ex químico, Juan Brown volvió a él sus pesados ojos, y le
dijo:

—¿Y vos qué sabés?³⁶   ₁₅

Rivet, al trote y salivando,³⁷ se lanzó entonces en insultos del
mismo jaez contra don Juan, quien lo siguió obstinadamente con
los ojos. Al fin resopló, apartando de nuevo la vista:

—Francés del diablo . . .³⁸

La situación, sin embargo, se volvía intolerable. La mirada ₂₀
de don Juan, fija desde hacía rato³⁹ en la lámpara, cayó por fin de
costado sobre su socio:

—Vos que sabés de todo, industrial . . . ¿Se puede tomar el
alcohol carburado?

—¡Alcohol! La sola palabra sofocó, como un soplo de fuego, ₂₅
la irritación de Rivet. Tartamudeó, contemplando la lámpara:

---

33. **volviéndose a medias** half turning about.
34. **lo que se quiera** whatever you wish.
35. **De vez en cuando** From time to time.
36. **¿Y vos qué sabés?** *This is the* "**voseo**" *form of speech, so common in Argentina, wherein the subject pronoun* "**vos**" *replaces* "**tú**" *and is used with a modified form of
the second-person plural verb form in the present tense =* ¿**Y tú qué sabes?**
37. **al trote y salivando** on the move and spraying saliva.
38. **Francés del diablo** Damned Frenchman.
39. **desde hacía rato** for some time.

—¿Carburado?... ¡Tzsh!... Porquería ... Bencinas ...
Piridinas ... ¡Tzsh!... Se puede tomar.

No bastó más.[40] Los socios encendieron una vela, vertieron
en la damajuana el alcohol con el mismo pestilente embudo,
y ambos volvieron a la vida.   5

El alcohol carburado no es una bebida para seres humanos.
Cuando hubieron vaciado la damajuana hasta la última gota,
don Juan perdió por primera vez en la vida su impasible línea,
y cayó, se desplomó como un elefante en la silla. Rivet sudaba
hasta las mechas del cabello, y no podía arrancarse de la baranda   10
del billar.

—Vamos —le dijo don Juan, arrastrando consigo a Rivet, que
resistía. Brown logró cinchar su caballo, pudo izar al químico
a la grupa, y a las tres de la mañana partieron del bar al paso del
flete de Brown,[41] que siendo capaz de trotar con 100 kilos encima,   15
bien podía caminar cargado con 140.

La noche, muy fría y clara, debía estar ya velada de neblina
en la cuenca de las vertientes.[42] En efecto, apenas a la vista[43]
del valle del Yabebirí, pudieron ver la bruma, acostada desde
temprano a lo largo del río, ascender desflecada en jirones[44] por   20
la falda de la serranía. Más en lo hondo aún,[45] el bosque tibio
debía estar ya blanco de vapores.

Fue lo que aconteció. Los viajeros tropezaron de pronto con
el monte, cuando debían estar ya en Tacuara-Mansión. El caballo,
fatigado, se resistía a abandonar el lugar. Don Juan volvió   25
grupa,[46] y un rato después tenían de nuevo el bosque por delante.

—Perdidos ... —pensó don Juan, castañeteando a pesar

40. **No bastó más** That's all it took.
41. **al ... Brown** at the walking pace set by Brown's horse.
42. **debía ... vertientes** was probably already veiled with mist in the valleys
below the slopes.
43. **apenas a la vista** as soon as they came into view.
44. **desflecada en jirones** in scattered wisps.
45. **Más ... aún** Even further down the slope.
46. **volvió grupa** turned his horse around.

suyo.[47] Tomó otro rumbo, confiando esta vez en el caballo. Bajo su saco de astracán, Brown se sentía empapado en sudor de hielo. El químico, más lesionado, bailoteaba en ancas de un lado para otro, inconsciente del todo. El monte los detuvo de nuevo. Don Juan consideró entonces 5 que había hecho cuanto era posible para llegar a su casa. Allí mismo ató su caballo en el primer árbol, y tendiendo a Rivet al lado suyo se acostó al pie de aquél. El químico, muy encogido, había doblado las rodillas hasta el pecho, y temblaba sin tregua. No ocupaba más espacio que una criatura—, y eso, flaca.[48] Don 10 Juan lo contempló un momento; y encogiéndose ligeramente de hombros, apartó de sí el mandil que se había echado encima, y cubrió con él a Rivet, hecho lo cual,[49] se tendió de espaldas sobre el pasto de hielo.

15

Cuando volvió en sí, el sol estaba ya muy alto. Y a diez metros de ellos, su propia casa.

Lo que había pasado era muy sencillo: Ni un solo momento se habían extraviado la noche anterior. El caballo habíase[50] detenido la primera vez —y todas— ante el gran árbol de Tacuara- 20 Mansión, que el alcohol de lámparas y la niebla habían impedido ver a su dueño. Las marchas y contramarchas, al parecer interminables, habíanse concretado a[51] sencillos rodeos alrededor del árbol familiar.

De cualquier modo, acababan de ser descubiertos por el 25 húngaro de don Juan. Entre ambos transportaron al rancho a monsieur Rivet, en las misma postura de niño con frío en que había muerto. Juan Brown, por su parte, y a pesar de los porrones calientes,[52] no pudo dormirse en largo tiempo, calculando

---

47. **castañeteando a pesar suyo**   teeth chattering in spite of himself.
48. **y eso, flaca**   and a skinny one at that.
49. **hecho lo cual**   having done which.
50. **habíase = se había**
51. **habíanse concretado a**   had consisted of.
52. **porrones calientes**   earthen jugs of warm water (*used in bed for heating*).

obstinadamente, ante su tabique de cedro,[53] el número de tablas que necesitaría el cajón de su socio.

Y a la mañana siguiente las vecinas del pedregoso camino del Yabebirí oyeron desde lejos y vieron pasar el saltarín carrito de ruedas macizas[54] que se llevaba los restos del difunto químico. 5

Maltrecho a pesar de su enorme resistencia, don Juan no abandonó en diez días Tacuara-Mansión. No faltó sin embargo quien fuera[55] a informarse de lo que había pasado, so pretexto de[56] consolar a don Juan y de cantar aleluyas[57] al ilustre químico 10 fallecido.

Don Juan le dejó hablar sin interrumpirlo. Al fin, ante nuevas loas al intelectual desterrado en país salvaje que acababa de morir, don Juan se encogió de hombros:

—Gringo de porquería . . . —murmuró apartando la vista.[58] 15

Y esta fue toda la oración fúnebre de monsieur Rivet.

Exercises

A. QUESTIONS

1. ¿Cuáles eran los antecedentes de Juan Brown?
2. ¿Cómo era él?
3. ¿Comó reaccionó él cuando recibió una bala en la pierna?
4. ¿Qué tipo de hombre era monsieur Rivet?
5. ¿A qué clase de gente despreciaba él?
6. ¿Dónde se reunieron los 17 "pobladores con alguna cultura"?
7. ¿Qué hacía de vez en cuando el barman para indicarle a don Juan que se fuera a casa?

53. **tabique de cedro** cedar wall-partition.
54. **el . . . macizas** the bouncing, thick-wheeled little cart.
55. **No . . . fuera** However, it didn't take long for someone to show up.
56. **so pretexto de** under the pretext of.
57. **cantar aleluyas** singing praises.
58. **apartando la vista** looking away.

8. ¿Qué hicieron Juan Brown y monsieur Rivet una noche cuando se vació la damajuana de caña?
9. ¿Quién había dicho que esto se podía hacer?
10. ¿Cómo iban a llegar a casa?
11. ¿Cómo era la noche? ¿Y en el valle del Yabebirí?
12. ¿Por qué creyó don Juan que estaban perdidos?
13. Antes de acostarse sobre el pasto, ¿qué había hecho don Juan por Rivet?
14. ¿Habían estado perdidos de veras?
15. ¿Quién pronunció la única oración fúnebre de Rivet? ¿Qué dijo?

B. VERB EXERCISE

Using the expressions in the right-hand column, give the Spanish for the English sentences listed on the left.

1. (a) I hope they don't cheat again.　　　　　*hacer trampa*
   (b) When did I cheat?
2. (a) If you left, Ana would serve as my cook.　　*servir de*
   (b) Gerardo said he'd serve as his chemist.
3. (a) Sara is busy with dinner now.　　　　　*ocuparse de*
   (b) For three years he was engaged in selling cars.
4. (a) When I turned around I saw him.　　　　*volverse*
   (b) Wait, don't turn around now!
5. (a) What happened then?　　　　　　　　*acontecer*
   (b) Something terrible always happens on Friday.
6. (a) It's possible you'll meet her at the party.　*tropezar con*
   (b) This morning I ran into Clara.
7. (a) In the afternoon we used to stretch out　*tenderse*
   on the beach.
   (b) Why don't you stretch out here in the shade?
8. (a) When he comes to, we'll be far away.　　*volver en sí*
   (b) If he doesn't regain consciousness soon, call a doctor.

9. (a) I wouldn't like this book to get lost.   *extraviarse*
   (b) My last letter went astray.
10. (a) The man has stopped at the corner.   *detenerse*
    (b) Why did you stop?

C. DRILL ON NEW EXPRESSIONS

Translate the following sentences into Spanish, selecting from the expressions on the right the one corresponding to the italicized English words on the left.

1. *Apparently*, he had just left.   *frente a*
2. It was a nice evening, *in spite of* the rain.   *a causa de*
3. *From time to time*, they would see one another   *al anochecer*
   on the road.
4. He stretched out on the ground *on his back*.   *he aquí*
5. The bar was *in front of* the Hotel Malabia.   *al parecer*
6. It's all mine *except for* a few dollars.   *por lo menos*
7. He was in bed for a month *because of* his   *a pesar de*
   illness.
8. There were *at least* a hundred people at the   *de vez en cuando*
   church.
9. *At nightfall*, he would leave his ranch and go   *salvo*
   to town.
10. *Here you have* an example of his strange   *de espaldas*
    character.

D. SENTENCE COMPLETION EXERCISE

Complete, in any way you see fit, the sentence fragments given below by selecting for each a suitable verb from among those listed in Exercise B, observing always the subject indicated here and placing the new verb in an appropriate tense or mood.

1. Me alegro que su hermano
2. Cuando voy a la plaza, yo
3. Eran las cinco de la tarde cuando ellos
4. ¿Creen Vds. que él
5. Nos gustaría que tú

LA GALLINA DEGOLLADA

"La gallina degollada" is possibly Quiroga's most celebrated story. It is also one of his earliest pieces. Although *written in 1909, it did not appear in book form until 1917 when it was included in the immediately successful* Cuentos de amor de locura y de muerte.

The story's ending is one of sudden, stark horror. But what Quiroga offers here is much more than merely a tale calculated to shock. In the events leading up to the final scene we perceive the seeds of the culminating act of violence, for the attitudes of both the husband and wife depicted here reflect certain recognizable traits of the ignoble side of human nature. The story of their marriage, therefore, follows a course that is not at all exaggerated for sensational effect, and the final tragedy develops quite naturally out of the dark mood of anguish and rancor that the author here evokes.

La gallina degollada

Todo el día, sentados en el patio en un banco, estaban los cuatro hijos idiotas del matrimonio Mazzini-Ferraz. Tenían la lengua entre los labios, los ojos estúpidos, y volvían la cabeza con toda la boca abierta.

El patio era de tierra, cerrado al Oeste por un cerco de ladrillos. El banco quedaba paralelo a él, a cinco metros, y allí se mantenían inmóviles, fijos los ojos en los ladrillos. Como el sol se ocultaba tras el cerco, al declinar, los idiotas tenían fiesta.[1] La luz enceguecedora llamaba su atención al principio; poco a poco sus ojos se animaban; se reían al fin estrepitosamente, mirando el sol con alegría bestial, como si fuera comida.

Otras veces, alineados en el banco, zumbaban horas enteras, imitando al tranvía eléctrico. Los ruidos fuertes sacudían asimismo su inercia, y corrían entonces, alrededor del patio, mordiéndose la lengua y mugiendo. Pero casi siempre estaban apagados en un sombrío letargo de idiotismo, y pasaban todo el día sentados en su banco, con las piernas colgantes y quietas, empapando de glutinosa saliva el pantalón.

El mayor tenía doce años y el menor ocho. En todo su aspecto sucio y desvalido se notaba la falta absoluta de cuidado maternal.

Esos cuatro idiotas, sin embargo, habían sido un día el encanto de sus padres. A los tres meses de casados,[2] Mazzini y Berta

---

1. **tenían fiesta** had a treat.
2. **A . . . casados** After having been married for three months.

orientaron su estrecho amor de marido y mujer, y mujer y marido, hacia un porvenir mucho más vital: un hijo. ¿Qué mayor dicha para dos enamorados que esa honrada consagración de su cariño?

Así lo sintieron Mazzini y Berta, y cuando el hijo llegó, a los catorce meses de matrimonio, creyeron cumplida su felicidad. La criatura creció, bella y radiante, hasta que tuvo año y medio. Pero en el vigésimo mes sacudiéronlo una noche convulsiones terribles, y a la mañana siguiente no conocía más a sus padres. El médico lo examinó con esa atención profesional, que está visiblemente buscando la causa del mal en las enfermedades de los padres.

Después de algunos días los miembros paralizados de la criatura recobraron el movimiento; pero la inteligencia, el alma, aun el instinto, se habían ido del todo. Había quedado profundamente idiota, baboso, colgante, muerto para siempre sobre las rodillas de su madre.

—¡Hijo, mi hijo querido!—sollozaba ésta sobre aquella espantosa ruina de su primogénito.

El padre, desolado, acompañó al médico afuera.

—A usted se le puede decir; creo que es un caso perdido. Podrá mejorar, educarse en todo lo que le permita su idiotismo, pero no más allá.

—¡Sí!... ¡Sí!... —asentía Mazzini. Pero dígame: ¿usted cree que es herencia, que...?

—En cuanto a la herencia paterna, ya le dije lo que creí cuando vi a su hijo. Respecto de la madre, hay allí un pulmón que no sopla bien. No veo nada más, pero hay un soplo un poco rudo. Hágala examinar detenidamente.

Con el alma destrozada de remordimiento, Mazzini redobló el amor a su hijo, al pequeño idiota que pagaba los excesos del abuelo. Tuvo asimismo que consolar, sostener sin tregua a Berta, herida en lo más profundo por aquel fracaso de su joven maternidad.

Como es natural, el matrimonio puso todo su amor en la esperanza de otro hijo. Nació éste, y su salud y limpidez de risa reencendieron el porvenir extinguido. Pero a los dieciocho meses las convulsiones del primogénito se repetían, y al día siguiente el segundo hijo amanecía idiota.

Esta vez los padres cayeron en honda desesperación. ¡Luego su sangre, su amor estaban malditos! ¡Su amor, sobre todo! Veintiocho años él, veintidós ella, y toda su apasionada ternura no alcanzaba a crear un átomo de vida normal. Ya no pedían más belleza e inteligencia como en el primogénito; ¡pero un hijo, un hijo como todos!

Del segundo desastre brotaron nuevas llamaradas de dolorido amor, un loco anhelo de redimir de una vez para siempre la santidad de su ternura. Sobrevinieron mellizos, y punto por punto repitióse el proceso de los dos mayores.

Mas, por encima de su inmensa amargura, quedaba a Mazzini y a Berta gran compasión por sus cuatro hijos. Hubo que arrancar del limbo de la más honda animalidad, no ya sus almas, sino el instinto mismo abolido.[3] No sabían deglutir, cambiar de sitio ni aun sentarse. Aprendieron, al fin, a caminar, pero chocaban contra todo, por no darse cuenta de los obstáculos. Cuando los lavaban mugían hasta inyectarse de sangre el rostro.[4] Animábanse sólo al comer, y cuando veían colores brillantes u oían truenos. Se reían entonces, echando afuera la lengua y ríos de baba, radiantes de frenesí bestial. Tenían, en cambio, cierta facultad imitativa;[5] pero no se pudo obtener nada más.

Con los mellizos pareció haber concluido la aterradora descendencia. Pero pasados tres años Mazzini y Berta desearon de nuevo ardientemente otro hijo, confiando en que el largo tiempo transcurrido hubiera aplacado a la fatalidad.

No satisfacían sus esperanzas. Y en ese ardiente anhelo que

3. **no ... abolido** not their souls, but the revoked instinct itself.
4. **hasta ... rostro** until their faces turned red.
5. **facultad imitativa** ability for imitating.

se exasperaba en razón de su infructuosidad,[6] los esposos se agriaron. Hasta ese momento cada cual había tomado sobre sí la parte que le correspondía[7] en la miseria de sus hijos; pero la desesperanza de redención ante[8] las cuatro bestias que habían nacido de ellos, echó afuera esa imperiosa necesidad de culpar a 5 los otros, que es patrimonio específico de los corazones inferiores.

Iniciáronse con el cambio de pronombres: *tus* hijos.

—Me parece —díjole una noche Mazzini, que acababa de entrar y se lavaba las manos— que podrías tener más limpios a los muchachos. 10

Berta continuó leyendo como si no hubiera oído.

—Es la primera vez —repuso al rato— que te veo inquietarte por el estado de tus hijos.

Mazzini volvió un poco la cara a ella con una sonrisa forzada.

—De nuestros hijos, me parece. 15

—Bueno; de nuestros hijos. ¿Te gusta así? —alzó ella los ojos.

Esta vez Mazzini se expresó claramente:

—¿Creo que no vas a decir que yo tenga la culpa, no?

—¡Ah, no! —se sonrió Berta, muy pálida—. ¡Pero yo tampoco, supongo!... ¡No faltaba más!...[9] —murmuró. 20

—¿Qué, no faltaba más?

—¡Que si alguien tiene la culpa no soy yo, entiéndelo bien! Eso es lo que te quería decir.

Su marido la miró un momento con brutal deseo de insultarla.

—¡Dejemos! —articuló al fin, secándose las manos. 25

—Como quieras; pero si quieres decir...

—¡Berta!

—¡Como quieras!

Este fue el primer choque, y le sucedieron otros. Pero en

---

6. **que ... infructuosidad** which became exasperating because of its fruit-lessness.
7. **la ... correspondía** his part.
8. **la ... ante** the hopelessness of the salvation of.
9. **¡No faltaba más!** The very idea!

las inevitables reconciliaciones, sus almas se unían con doble arrebato y ansia de otro hijo.

Nació así una niña. Mazzini y Berta vivieron dos años con la angustia a flor del alma,[10] esperando siempre otro desastre. Nada acaeció, sin embargo, y los padres pusieron en su hija toda su complacencia, que la pequeña llevaba a los más extremos límites del mimo y la mala crianza.

Si aun en los últimos tiempos[11] Berta cuidaba siempre de sus hijos, al nacer Bertita olvidóse casi del todo de los otros. Su solo recuerdo la horrorizaba, como algo atroz que la hubieran obligado a cometer. A Mazzini, bien que en menor grado,[12] pasábale lo mismo.

No por eso la paz había llegado a sus almas. La menor indisposición de su hija echaba ahora afuera, con el terror de perderla, los rencores por su descendencia podrida.[13] Con estos sentimientos, no hubo ya para los cuatro hijos mayores afecto posible. La sirvienta los vestía, les daba de comer, los acostaba, con grosera brutalidad. No los lavaban casi nunca. Pasaban casi todo el día sentados frente al cerco, abandonados de toda remota caricia.

De este modo Bertita cumplió cuatro años, y esa noche, resultado de las golosinas que sus padres eran incapaces de negarle, la criatura tuvo algún escalofrío y fiebre. Y el temor de verla morir o quedar idiota tornó a reabrir la eterna llaga.

Hacía tres horas que no hablaban, y como casi siempre, los fuertes pasos de Mazzini fueron el motivo ocasional.

—¡Mi Dios! ¿No puedes caminar más despacio? ¿Cuántas veces?...

—Bueno, es que me olvido. ¡Se acabó![14] No lo hago a propósito.

---

10. **con ... alma**   on the verge of anguish.
11. **Si ... tiempos**   If previously.
12. **bien ... grado**   although on a smaller scale.
13. **los ... podrida**   the grudges over her corrupt descent.
14. **¡Se acabó!**   Forget it!

Ella se sonrió, desdeñosa:

—¡No, no te creo tanto!

—Ni yo, jamás, te hubiera creído tanto a ti . . . ¡tisiquilla!

—¡Qué! ¿Qué dijiste? . . .

—¡Nada!   5

—¡Sí, te oí algo! Mira: ¡No sé lo que dijiste; pero te juro que prefiero cualquier cosa a tener un padre como el que has tenido tú!

Mazzini se puso pálido.

—¡Al fin! —murmuró con los dientes apretados— ¡Al fin,   10 víbora, has dicho lo que querías!

—¡Sí, víbora, sí! ¡Pero yo he tenido padres sanos, ¿oyes?, sanos! ¡Mi padre no ha muerto de delirio! ¡Yo hubiera tenido hijos como los de todo el mundo! ¡Esos son hijos tuyos, los cuatro tuyos!   15

Mazzini explotó a su vez.

—¡Víbora tísica! ¡Eso es lo que te dije, lo que te quiero decir! ¡Pregúntale, pregúntale al médico, quién tiene la culpa de la meningitis de tus hijos: mi padre, o tu pulmón picado, víbora!   20

Continuaron cada vez con mayor violencia, hasta que un gemido de Bertita, selló instantáneamente sus bocas. A la una de la mañana la ligera indigestión había desaparecido, y como pasa fatalmente con todos los matrimonios jóvenes que se han amado intensamente, una vez siquiera, la reconciliación llegó,   25 tanto más efusiva cuanto infames fueron los agravios.[15]

Amaneció un espléndido día, y mientras Berta se levantaba escupió sangre. Las emociones y mala noche pasada tenían, sin duda, gran culpa. Mazzini la retuvo abrazada largo rato, y ella lloró desesperadamente, pero sin que ninguno se atreviera a   30 decir palabra.

A las diez decidieron salir, después de almorzar. Como apenas tenían tiempo, ordenaron a la sirvienta que matara una gallina.

15. **tanto . . . agravios** all the more expressive for the seriousness of the hurts.

El día radiante había arrancado a los idiotas de su banco. De modo que mientras la sirvienta degollaba en la cocina al animal, desangrándolo con parsimonia[16] (Berta había aprendido de su madre este buen modo de conservar frescura a la carne), aquélla creyó sentir algo como respiración tras ella. Volvióse, 5 y vio a los cuatro idiotas, con los hombros pegados uno a otro, mirando estupefactos la operación. Rojo . . . rojo . . .

—¡Señora! Los niños están aquí en la cocina.

Berta llegó; no quería que jamás pisaran allí. ¡Y ni aun en esas horas de pleno perdón, olvido y felicidad reconquistada, 10 podía evitarse esa horrible visión! Porque, naturalmente, cuanto más intensos eran los raptos de amor a su marido e hija, más [17] irritado era su humor con los monstruos.

—¡Que salgan, María! ¡Échelos! ¡Échelos, le digo!

Las cuatro pobres bestias, sacudidas, brutalmente empujadas, 15 fueron a dar a su banco.[18]

Después de almorzar salieron todos. La sirvienta fue a Buenos Aires, y el matrimonio, a pasear por las quintas. Al bajar el sol volvieron; pero Berta quiso saludar un momento a sus vecinas de enfrente. Su hija escapóse en seguida a casa. 20

Entretanto, los idiotas no se habían movido en todo el día de su banco. El sol había traspuesto ya el cerco, comenzaba a hundirse, y ellos continuaban mirando los ladrillos, más inertes que nunca.

De pronto, algo se interpuso entre su mirada y el cerco. Su 25 hermana, cansada de cinco horas paternales, quería observar por su cuenta.[19] Detenida al pie del cerco, miraba pensativa la cresta. Quería trepar, eso no ofrecía duda.[20] Al fin decidióse por una silla sin fondo,[21] pero aún no alcanzaba. Recurrió entonces

16. **desangrándolo con parsimonia**   bleeding it slowly.
17. **cuanto . . . más**   the more intense her love for her husband and daughter, the more.
18. **fueron . . . banco**   ended up on their bench.
19. **observar por su cuenta**   do some looking around on her own.
20. **eso no ofrecía duda**   no doubt about that.
21. **silla sin fondo**   chair without a bottom.

a un cajón de kerosene, y su instinto topográfico hízole colocar
vertical el mueble. Con lo cual triunfó.

Los cuatro idiotas, la mirada indiferente, vieron cómo su
hermana lograba pacientemente dominar el equilibrio, y cómo
en puntas de pie apoyaba la garganta sobre la cresta del cerco, 5
entre sus manos tirantes. Viéronla mirar a todos lados y buscar
apoyo con el pie para alzarse más.

Pero la mirada de los idiotas se había animado; una misma
luz insistente estaba fija en sus pupilas. No apartaban los
ojos de su hermana, mientras creciente sensación de gula 10
bestial iba cambiando cada línea de sus rostros. Lentamente
avanzaron hacia el cerco. La pequeña, que habiendo logrado
calzar el pie, iba ya a montar a horcajadas [22] y a caerse seguramente del otro lado, sintióse cogida de una pierna. Debajo de
ella, los ocho ojos clavados en los suyos le dieron miedo. 15

—¡Soltáme! ¡Dejáme! —gritó sacudiendo la pierna—. Pero
fue atraída.

—¡Mamá! ¡Ay, mamá! ¡Mamá, papá! —lloró imperiosamente.
Trató aún de sujetarse del borde, pero sintióse arrancada y cayó.

—Mamá, ¡ay! Ma . . . —No pudo gritar más. Uno de ellos 20
le apretó el cuello, apartando los bucles como si fueran plumas,
y los otros la arrastraron de una sola pierna hasta la cocina,
donde esa mañana se había desangrado a la gallina, bien sujeta,
arrancándole la vida segundo por segundo.

Mazzini, en la casa de enfrente, creyó oír la voz de su hija. 25

—Me parece que te llama —le dijo a Berta.

Prestaron oído, inquietos, pero no oyeron más. Con todo,
un momento después, se despidieron, y mientras Berta iba a
dejar su sombrero, Mazzini avanzó en el patio:

—¡Bertita! 30

Nadie respondió.

—¡Bertita! —alzó más la voz ya alterada.

22. **habiendo . . . horcajadas** having brought her foot up, was about to
straddle (*the wall*).

Y el silencio fue tan fúnebre para su corazón siempre aterrado, que la espalda se le heló de horrible presentimiento.[23]
—¡Mi hija, mi hija! —corrió ya desesperado hacia el fondo. Pero al pasar frente a la cocina vio en el piso un mar de sangre. Empujó violentamente la puerta entornada, y lanzó un grito de 5 horror.

Berta, que ya se había lanzado corriendo a su vez al oír el angustioso llamado del padre, oyó el grito y respondió con otro. Pero al precipitarse en la cocina, Mazzini, lívido como la muerte, se interpuso, conteniéndola: 10
—¡No entres! ¡No entres!

Berta alcanzó a ver el piso inundado de sangre. Sólo pudo echar sus brazos sobre la cabeza, y hundirse a lo largo de su marido con un ronco suspiro.

Exercises

A. QUESTIONS

1. ¿Cuál era la tragedia del matrimonio Mazzini-Ferraz?
2. ¿Cómo pasaban los días los cuatro hijos?
3. ¿Qué le había pasado al primer hijo?
4. ¿Quién tenía la culpa de la enfermedad del hijo?
5. ¿Ante qué cosas se animaban los hijos?
6. ¿Cuál fue la única facultad que se les notaba?
7. ¿Cómo era la hija que nació después?
8. ¿Ahora quién cuidaba de los idiotas?
9. ¿De qué se enfermó Bertita el día que cumplió los cuatro años?
10. ¿Por qué se peleaban aún los padres?
11. Al día siguiente, ¿qué mandaron hacer a la sirvienta?
12. ¿Qué operación vieron los idiotas?
13. ¿Quién volvió sola a casa aquella tarde?
14. ¿Qué hicieron los idiotas a su hermana?
15. ¿Por qué lo hicieron?

23. **la ... presentimiento** a shiver of presentiment ran down his spine.

B. VERB EXERCISE

Using the expressions in the right-hand column, give the Spanish for the English sentences listed on the left.

1. (a) He fell off the wall again.   *caerse*
   (b) Watch out, don't fall!
2. (a) Don't laugh if I tell you what happened.   *reírse*
   (b) Why were you all laughing so much?
3. (a) Now I don't want you to worry about me. *inquietarse por*
   (b) I was very concerned about the other children.
4. (a) It's not my fault!   *tener la culpa*
   (b) Don't you know who's to blame?
5. (a) They were strolling through the park.   *pasear*
   (b) On Sundays we would take a walk around the town.
6. (a) I'm glad you didn't forget the book.   *olvidarse de*
   (b) Oh, I forgot to tell him my name!
7. (a) Who'll look after the kids?   *cuidar de*
   (b) Her uncle would take care of her if necessary.
8. (a) Have you fed the hens yet?   *dar de comer*
   (b) I think Rita will have fed the children.
9. (a) They said goodbye to us and left immediately.   *despedirse de*
   (b) Did you say goodbye to grandpa?
10. (a) I managed to speak to him yesterday morning.   *lograr*
    (b) I hope you succeed in finishing the work today.

C. DRILL ON NEW EXPRESSIONS

Translate the following sentences into Spanish, selecting from the expressions on the right the one corresponding to the italicized English words on the left.

1. I *no longer* worry about those things.   *al fin*
2. The rain continued for six days *without letup*.   *del todo*
3. He's not *completely* crazy.   *de este modo*

4. *Nevertheless,* I understand why they did it.
5. Me? Go out with her? *The very idea!*
6. Angélica, *in turn,* gave the money to Gregoria.
7. *Finally,* I managed to sell it.
8. *In this way,* you'll be able to earn more.
9. *As for* Luis, I don't know what to tell you.
10. *The more* I see her, *the more* I like her.

cuanto más . . . más
a su vez
sin embargo

en cuanto a
no faltaba más
sin tregua
ya no

D. SENTENCE COMPLETION EXERCISE

Complete, in any way you see fit, the sentence fragments given below by selecting for each a suitable verb from among those listed in Exercise B, observing always the subject indicated here and placing the new verb in an appropriate tense or mood.

1. Sin duda José cree que ellos
2. Cuando vuelvan los otros, yo
3. Ella prefiere que Vd.
4. Me dijo que Horacio quería que Carmen
5. Me gustaría que tú

Francisco
Rojas González

(1904–1951)

Nationalism and Revolution: The Life and Times of Rojas González

It was his fortune to live during one of the most dramatic periods in Mexican history since the arrival of Cortés. The span of his lifetime (1904–1951) encompassed the entire sweep of the Mexican Revolution (1910–1940), a social earthquake whose impact and after-shocks affected every aspect of national life.

Like most intellectuals of his times, Rojas González participated in the constructive phase of the Revolution. And like most authors, he showed its influence in his writing. Therefore the major contours of this historic phenomenon should be seen as the backdrop of his literary career.

The popular rebellion of 1910 overthrew the long dictatorship of Porfirio Díaz, who had been supported by such conservative elements as the *hacendados* (large landowners), the army, foreign investors, and a tradition-bound church. A tragic decade of violence followed, then a counter-revolution which was defeated, and years of factional strife among the victorious rebel leaders—Emiliano Zapata, Francisco (Pancho) Villa, Venustiano Carranza, and Alvaro Obregón. By 1920, when stability was regained, more than one million Mexicans had lost their lives.

But destructive violence gave way to rebuilding and reform. The succeeding twenty years witnessed a largely successful effort to implement the principles of the hard-won Constitution of 1917. Land reform, popular education, the rights of labor, national control of petroleum and mineral deposits, and limitations on the civil role of the church were the social gains of the bloody struggle.

The high point of reform was reached during the presidency of Lázaro Cárdenas (1934–1940), when the entire nation seemed galvanized into action and change. In addition to vast land distribution and a dynamic education program for rural communities, the first concentrated effort was made to improve the lot of the nation's Indian minority.

New ideas and theories inevitably emerged during the thirty-year process. The watchword among intellectuals was nationalism—a conscious attempt to seek independent solutions to Mexico's problems. In cultural circles, artists, writers, and composers preferred to restudy the Mexican past and present in search of themes and forms, rather than to imitate models from Europe or the United States. The great mural painters, Diego Rivera, José Clemente Orozco, David Alfaro Siqueiros and others fused Western techniques with a revived interest in Indian artistic traditions, methods, and themes. The Revolution generated a sense of national vitality and a heightened concern for the Indian heritage from the national past. A new characteristic of the cultural atmosphere was pride in things Mexican.

Francisco Rojas González was a man of these changing times, so that the impact of each phase can be traced in his life and works. His own childhood memories of the Díaz regime later appeared in his short stories. The bloody decade of fighting, 1910 to 1920, corresponds to his years of formative education in Guadalajara and Mexico City. As a boy of fourteen he was already keenly aware of the issues of the day. He followed the genesis of the Constitution through his uncle, Luis Manuel Rojas, who was president of the historic Constitutional Congress. The 1920's, when he held various government posts while continuing his studies in ethnology, were his first years of public activity. He espoused the cause of government programs by participating in the reform-oriented *Bloque de Obreros Intelectuales*, in whose journal, *Crisol*, his first articles and stories were published.

During the 1930's, he embarked upon his two lifelong careers

—the first as a practicing anthropologist, spending years of field work in remote Indian villages and producing numerous ethnological studies; and the second as a creative writer, author of seven volumes of short stories and two novels. For Rojas González, the common denominator of both pursuits was their relationship to the major national problems of the time.

The last years of his life, from 1940 to 1951, were those of the author's greatest literary maturity, as evidenced in the publication of his two novels and his two finest collections of *cuentos*. While the former were favorably received, it was the stories, *Cuentos de ayer y de hoy* (1946) and *El diosero* (published posthumously in 1952) which established permanently his reputation as an outstanding *cuentista*. Just as his nation had entered upon a period of postrevolutionary modernization, looking toward more active participation in international life, the author in this period reflects greater serenity, breadth of theme, and awareness of universal implications.

In 1951, at a moment when he was planning new literary works, and was deeply involved in the presidential campaign of Don Adolfo Ruiz Cortines, death cut short his career. His stories, particularly those of *El diosero*, now in its fifth edition, continue to be popular and widely read in Mexico. In 1955 an outstanding film *Raíces*, based on several stories from *El diosero*, was awarded first prize at the Cannes international film festival.

While Rojas González construed his literary work as indirectly contributing to social and cultural progress, he nevertheless was conscious of his role as creative artist. Concerned with the craft of the short story, he wrote several studies on the history of the *cuento* as a genre. Through the short story form he sought to capture, in brushstroke brevity, the essence of human problems and contradictions. Rather than take inspiration from fantasy or abstractions, he preferred to elaborate material selected from close at hand, from the vivid human drama of the time and place in which he lived.

Because the characters and situations in his stories have an authentic flavor, Rojas González is called a realistic writer. This label is acceptable as long as one realizes that the author's endeavor was not merely to copy reality or to capture it, as in a photograph. Rather he strove to piece together recognizable, even familiar, characters and situations, in such a way as to penetrate *beneath* surface reality, to probe into the nature of man's problems, his weaknesses, his contradictions. And if human nature, which fascinated him, was imperfect, motivating some men to create suffering for others, it could also provide other men with the capacity to appreciate moments of beauty, or to react to tragedy with humor.

Thus, while the bitter ending in "La parábola del joven tuerto" is distilled from the contrast between cruelty and faith, the story "La tona" creates a moment of ingenuous joy from the humorous contrast between two sets of cultural values. The individual destinies which the author traces in his stories range in their human implications from the social misery of "El pajareador" to the innocent Indian religiosity in "Nuestra Señora de Nequetejé."

As a nationalist writer, Rojas González was most concerned with the totality of Mexico. His stories are set in a variety of backgrounds, which together provide a composite national view—from the modern metropolis of Mexico City in "Silencio en las sombras," to the anonymous rural *pueblo* in "La parábola del joven tuerto" and the remote Indian community in "La tona."

The author's preoccupation with the Revolution, its causes, its historical processes, and its goals, is reflected from many perspectives. "El pajareador," with its setting in Porfirian Mexico, underlines in personal terms the type of suffering which motivated Mexicans to rebel. Other stories dramatize the uncertainty of individual human destinies when buffeted by the unpredictable and violent tides of revolutionary fighting, and the anguish of later years, 1928–1933, when the clerically oriented "cristero" rebellions conducted guerrilla warfare against the government and its programs. Still others, such as "La parábola del joven tuerto," while not as specifically fixed in temporal reference, contain underlying notes of protest against corrupt social and moral values or the indifference of society to personal misery. And finally, illustrating his own commitment to the situation of the Indian, "La tona" and "Nuestra Señora de Nequetejé" explore contrasts between indigenous culture and that of the Mexican majority.

Beyond historical, geographical, and social setting, Rojas González endeavored to create characters whose personalities were colored with Mexican shadings. Many of his literary personages, through their earthy language and by virtue of their stoicism in the face of affliction, their fatalism as regards death, or their blending of both Indian and traditionally Hispanic values, take on an uniqueness which is termed "mexicanidad." For example, it would be difficult to envision in a typical United States setting characters such as the Indian, Simón, or the mother of the "joven tuerto." Their personalities and attitudes toward life reflect the realities of Mexico. On the other hand, the author was not bound exclusively to national concerns, as is evidenced by the more abstract theme of "Silencio en las sombras," which is universally valid for any modern society.

Rojas González felt that there existed no conflict between his sense of social commitment and his artistic responsibility. His concerns for form and technique are evident in his personal definition of the short story: " . . . a literary form created within limited length, but as profound as mankind's knowledge. Concrete in theme, clear in expression, its characters never transcend plot boundaries as in the novel, nor exceed the limits of their artfully created circumstances, structured in order to underline an unexpected fact or a complex psychological situation."

Implicit in this definition is an insistence on brevity, to which the author conformed with his direct, often elliptical style and rapid-fire dialogue. Also present is mindfulness of the need for a careful plot structure, in order to attain either psychological complexity or the impact of the unexpected. An example of the latter effect is the structure of "La parábola del joven tuerto," whose ending not only jars the reader, but imparts an ironic cast to the entire story, which it neatly ties together. In fact, many of his stories are constructed along similar lines, with the surprise or "twist" of the final section underlining a significant human paradox and causing the reader to view the beginning section with new understanding. The essential quality involved is ironic contrast. At times it is irony for the purpose of light satire. At other moments, such as in "La parábola del joven tuerto," it is a cynical irony fashioned from the blending of tragedy with overtones of bitter humor.

At his best, Rojas González is able to marshal his writer's resources in the creation of stories memorable for their impact, enjoyable in their drama, and instructive in the insights which they yield into the human process by which modern Mexico has been forged.

J. S.

PRINCIPAL WORKS

El pajareador, 1934 (STORIES)

Sed, 1937 (STORIES)

La negra Angustias, 1944 (NOVEL)

Cuentos de ayer y de hoy, 1946

Lola Casanova, 1947 (NOVEL)

El diosero, 1952 (STORIES)

SILENCIO EN LAS SOMBRAS

The familiar theme of beauty—does it exist per se *or is it in the eye of the beholder?—is here treated with imagination by Rojas González. A special paradox is that Rebeca's beauty depends precisely on the fact that the eye of the beholder cannot see.*

Related to this theme is the question of communication, through which the author examines the capacities which human nature commands in its drive to achieve love.

Of the stories by Rojas González presented in this volume, "Silencio en las sombras," first published in 1946, stands apart as the one most concerned with abstract concepts. Its characters are viewed in terms of problems not directly related to the values of the society around them. Typically, however, the ending provides a bitterly suggestive insight into the fragility of man's hopes for happiness.

Silencio en las sombras

Dadme el silencio más obscuro, para llorar ... para llorar.

FRANCISCO GONZÁLEZ GUERRERO

Tropecé con él en una de las más transitadas esquinas de la ciudad; hacía un sol espléndido y la gente asaltaba los tranvías y los autobuses con la precipitación que obliga la bochornosa vida citadina. Iba vestido de luto y su semblante se advertía marchito. Lo acogí cariñosamente; hacía más de un mes 5 que no lo encontraba y su compañía érame gratísima . . . A bordo del tranvía charlábamos largo, hasta llegar al pueblo semi-urbano donde los dos vivíamos.

Luego conoció mi voz y me devolvió con amabilidad el saludo. Tomé su brazo y lo conduje hacia la puerta más 10 próxima. Caminaba airosamente, a pasos largos y con la barbilla levantada; su bastón, más que apoyo de ciego, diríase la prenda de un *dandy* muy familiarizado con su manejo. Cubría la cuenca de sus ojos inútiles, con lentes de enormes vidrios negros. 15

—Le agradezco su fineza, amigo. Mi defecto físico me impondría grandes penalidades si no fuera por personas tan amables como usted.

—No vale la pena hablar de eso . . . ¿Y cómo va la salud? 20

Nuestra amistad era añeja. Un día rozó mi brazo con su cuerpo y se detuvo: "¿Quiere usted hacerme el favor de pasarme a la acera de enfrente? Debo tomar allí mi tranvía."

Dio la coincidencia de que el vehículo por él esperado[1] era el que yo abordaba corrientemente. Desde ese día viajábamos juntos a menudo. Hablábamos y mutuamente conocimos algo de uno y otro. Él era profesor de la Escuela Nacional de Ciegos y Sordomudos, donde se 5 había educado. Siempre llevaba bajo el brazo libros escritos en el sistema ideado por Louis Braille. No conocía los colores; no tenía noción de los grandes volúmenes; jamás vio el alba ni el crepúsculo, ni la montaña; tampoco el mar, ni el horizonte . . . Era ciego de nacimiento. 10

—La semana pasada —me dijo con voz enronquecida—, tuve una gran pena: murió mi esposa.

Noté en su frente un relámpago de angustia, pero en sus labios se dibujó a poco una sonrisa floja, incapaz de poder borrar de mi ánimo la impresión de dolor que observé momentos antes. 15

—Siento sinceramente la desgracia, amigo. Mas yo no sabía que usted . . .

—Sí, fui casado y de esa unión me queda una hijita de año y medio.

Sus dedos finos y ágiles bailaron sobre el lomo de uno de 20 los libros que descansaban en sus piernas.

Yo no hallé comentario ante tan desoladora situación; pero él, sintiendo el momento propicio para hacer recuerdos y confidencias, habló quedamente, pensando en voz alta:

— La *sentí* por primera vez en la escuela, hará cuatro años. Yo 25 empezaba entonces a impartir mis clases de lectura a los ciegos . . . Recuerdo que ese día celebraban una fiesta con motivo de la inauguración del aula "Miguel F. Martínez"; ocupábamos la misma banca. El contacto instantáneo y casual de su brazo desnudo con una de mis manos, me produjo una impresión 30 indescriptible . . . La hablé[2] para darle una disculpa; pero ella

---

1. **Dio . . . esperado** It so happened that the vehicle he was waiting for.
2. **La hablé** *A rare example, for Latin America, of* la *used as indirect object pronoun. This is more frequent in the daily speech of Madrid and New Castile.*

no respondió. Cuando el quinteto de la escuela terminó la
elegía de Massenet,[3] yo me atreví a dirigirle otra frase más . . .
cualquier cosa, un comentario erudito sobre la ejecución; pero
ella permaneció en silencio.

El festival siguió de acuerdo con el programa. Mudos y ciegos 5
procuraban desempeñar sus papeles a la perfección, ya que se
trataba de honrar la memoria de uno de los más notables bene-
factores del plantel.

Poco a poco iba yo *conociendo* a mi vecina de asiento: su cuerpo
exhalaba un olor grato, atractivo, inconfundible para un ciego; 10
su respiración calmada, a compás, me indicaba que el tempera-
mento de aquella muchacha era tranquilo y apacible. La supuse
linda, robusta, sana.

Entonces exalté en mi pensamiento la imaginada figura: era
ella seguramente la mujer un tanto informe e imprecisa que 15
muchas veces, como una sombra, pasó por mi pensamiento en
las noches de inquietud y de angustia . . . Fue aquello —¿cómo
diré para que usted comprenda claramente? —¡un "amor a
primera vista"!

La festividad pasó rápidamente; yo, presa de una inexplicable 20
timidez, no volví a dirigir la palabra a mi vecina.

Cuando el público empezó a marcharse, nos íbamos quedando
en el salón sólo maestros y estudiantes. Entonces pensé que la
muchacha saldría a la calle a gozar de la luz, a pasear por los
jardines, a ver las flores . . . Pero ella permaneció sentada. 25
Supuse que sería ciega; eso me causó honda pena, pero también
un poco de desilusión. ¡Ciega y yo que en ella había visto por
instantes mis ojos![4]

A poco el director de la escuela dio órdenes: "Los ciegos
deben permanecer en sus asientos, mientras que los mudos 30
desalojan la sala."

Hubo un instante de silencio y a poco un movimiento general

3. **Massenet**   *French composer.*
4. **¡Ciega . . . ojos!**   Blind, and here I had seemed to see my own eyes in her!

y uniforme. Ella se puso en pie . . . ¡No es ciega! pensé casi
a gritos. Mi dicha no tenía límites . . . ¡No era ciega, amigo
mío! ¡No era ciega! ¿Se da usted cuenta?
—Pero era . . . —interrumpí.
—Sí, señor, era sordomuda.   5
Cuando pasó cerca de mí, adiviné que la suya buscaba mi
mano; un momento permanecieron enlazadas . . . ¡Breve lapso
luminoso!
Desde aquel momento su recuerdo vivió inalterable en mi
cerebro, en mi tacto, en mi olfato . . . terco, como un resorte.   10
La *miraba* siempre, porque su imagen era la única capaz de
incendiar mi larga noche. Pasaban los días y aquella fragancia,
aquel roce voluptuoso se mantenían latentes. La ilusión en un
ciego es zozobra tenaz . . . Ni siquiera se necesita entornar los
párpados [5] para atraer la inefable remembranza [6] al escenario sin 15
paisajes, ni luces, ni flores, pero en cambio pleno de perfumes y
de gorjeos . . . Desazón que hizo de mis días tenebrosos y de
mi pesar crónico, un edén.
Pasaron los meses y la quimera se hizo amor y el amor maduró
hasta la pasión arrebatada. Mi estado de ánimo se había   20
exaltado . . . Jamás volvería a estar cerca de ella. Su instinto
femenino tendría que dejarme la iniciativa, pero yo no estaba
en facultad de tomarla. ¿Cómo buscarla, si ella era una sombra
silenciosa y yo un torpe bulto que tropieza y yerra? Además, no
podría describirla físicamente para que otro la localizase y me   25
llevara cerca de ella . . . Yo tenía un concepto mío —irreal,
absurdo, pero mío— de la figura amada. Era la más elevada
noción de la belleza humana que puede caber en la imperfecta
imaginación de un monstruo.
Mi condición de maestro me permitía visitar todas las de-   30
pendencias escolares. Un día de exaltación extraordinaria,
resolví entrar en el departamento femenino del plantel de sordo-

5. **entornar los párpados**   to half-close one's eyelids.
6. **remembranza**   *Literary word, used instead of the more common* **recuerdo**.

mudos. Crucé el amplio patio en el momento en que las
alumnas esperaban entrar a su clase; en medio de aquella
multitud, el golpe enérgico de la contera de mi bastón sobre
las losas y el murmullo porfiado del chorro de la fuente eran
los únicos huéspedes extraños de la mansión del silencio. 5
Tropecé varias veces con grupos de mujeres, que indudable-
mente platicaban por medio del silente[7] alfabeto de las manos
. . . ¿Estaría ella por allí? ¿Se percataría de mi presencia? Y,
sobre todo, ¿adivinaría el motivo que me impulsó a penetrar
hasta el interior de su escuela? Recorrí varias veces el patio, 10
pasé por todos los corredores en desesperada búsqueda. Los
golpes de mi bastón eran cada vez más contundentes y ruidosos;
procuraba, en vano, llamar la atención de aquella gente privada
del sentido auditivo. Contuve, por inútil, un tierno llamado, casi
un reclamo zoológico, que pugnaba por salir de mi garganta . . . 15
Seguramente que en el semblante se me notaba la desesperanza
y la aflicción. Dos veces alcé mi diestra e hice con ella locos
ademanes de náufrago en tierra firme.

Cuando pretendí ganar la puerta de salida —fracasado, aba-
tido— me desorienté, al extremo de que fui a chocar contra 20
uno de los pilares del corredor; exasperado quise huir de prisa;
pero la puerta se burlaba diabólicamente de mí, rehuyendo la
punta del bastón, antena guía de mi cuerpo. De nuevo volví
mi cara hacia el patio y escuché los pasos acompasados del
grupo de educandas[8] que entraba en su clase.   25

Una angustia mortal se había hecho en mí; creíame solo,
perdido en un desierto tenebroso; mi pecho oprimido por tanto
pesar, estalló en un sollozo; luego, en medio del patio, lloré
quedamente primero y después a gritos, con el designio de
hacer trizas aquel silencio avieso.   30

Una mano me tomó por el brazo y, sin murmurar palabras,
condújome bruscamente hasta la puerta de salida.

7. **silente**   *Literary word, used instead of the more common* **silencioso**.
8. **educandas**   female students.

La desafortunada aventura no hizo mella en mi ánimo; yo estaba cierto de que ella me había visto; que no perdió ni uno de mis movimientos, ni de mis desesperados gestos; porque tenía la seguridad que me amaba tanto como yo a ella y que sufría de igual angustia; así, por lo menos, me lo decía tan clara- 5 mente el calor de su manecita aún vivo entre las mías. Había que insistir por medio del mismo procedimiento.

Así fue como me atreví una segunda vez por el plantel de sordomudos. Era un día caluroso de mayo. Las palomas se arrullaban en las cornisas y el agua de la fuente estaba tibia. 10

Esa vez fui más discreto; caminé cerca de los muros del corredor, anhelando que sólo los ojos de ella se fijaran en mí. Sentí de pronto un hálito fresco y perfumado; mi instinto me dijo que en esos momentos pasaba frente al portón que conducía al huerto. Una mano se posó sobre mi brazo; de pronto creí 15 que se trataba del brusco comedido que me expulsó la primera vez que osé entrar en la escuela de sordomudos. Pero un instante después, cuando era conducido dulcemente hacia el interior del huerto, saboreé toda mi ventura. En efecto, a poco aquella mano breve, palpitante, cogió mi diestra y así caminamos a 20 través del pasillo que da acceso al jardín y allí, recargados contra un muro húmedo y musgoso, nuestras manos se acariciaron y se dijeron mil cosas apasionadas. La respiración acalorada bañó mi rostro... Después, el beso fugitivo y tímido habló por toda una eternidad de silencio e hizo la luz en las tinieblas secu- 25 lares. Estas entrevistas se repitieron dos, tres, cinco veces; entonces mis manos trémulas pasaban por su rostro; el tacto gozaba del más inefable placer con el roce de aquella piel suave como terciopelo; mis dedos recorrían afanosos su perfil, sus labios, sus ojos, hasta advertir plenamente su belleza y hasta 30 quedar convencido de que en realidad era aquélla la silueta que tantas veces había refulgido en mi obscuridad.

Pero un día, cuando el diálogo sin palabras pasaba por su más dulce momento, una maestra llegó hasta nosotros, burlando

la vivaz mirada de ella y mi finísimo oído.⁹ Fuimos conducidos
a la dirección del plantel, acusados de violar la estricta moral
reglamentaria.

Antes de escuchar la reprimenda del director, yo me adelanté
valerosamente: "Señor, ella y yo nos queremos y sólo espe-   5
ramos el permiso de usted para casarnos" . . .

El director guardó silencio por algunos minutos —¿asombro?
¿consternación? ¿espanto?— luego resolvió: "El caso es
inaudito. . . Sin embargo, ante el temor de hechos consumados,¹⁰
la escuela se encargará de todo . . . ¡Que sean ustedes felices!   10

El día del matrimonio civil, después de la lectura del acta, supe
un poco acerca de ella: "Rebeca Cerda, de veintitrés años de
edad. Expósita . . . "

Para burlar la curiosidad que nuestra unión despertó entre
los maestros y los alumnos de la escuela, pensé instalar mi   15
hogar lejos, en Tlalpan . . . Allí, con el auxilio de una de las
profesoras de Rebeca, encontramos casa amplia, cómoda,
circundada por un jardín fragante, rumoroso y soleado.

La dicha fue entre nosotros.

Ella guiaba mañana a mañana mis pasos hasta la estación   20
del tranvía, que abordaba yo para venir a México a dar mis clases.
Al regreso, cuando apenas bajaba mi primer pie del estribo,
ya la mano cariñosa y atenta se había tendido para evitarme
un paso en falso . . . y allí íbamos los dos, pegados uno contra
otro, dejando que los corazones se dijeran aquello que estaba   25
vedado a los labios.

Mientras yo permanecía en el hogar, apoltronado en mi sillón
de descanso, preparando la clase del día siguiente, ella trajinaba
entregada a las labores domésticas. Hasta mí llegaba el ruido de
los platos sobre el pretil de la cocina o el de las pajas de la   30
escoba, enérgicamente arrastradas sobre el pavimento . . . Y sus
pasos firmes, fuertes, seguros. ¡Sus pasos! Luego sentía que se

9. **burlando . . . oído**   evading her alert glance and my acute sense of hearing.
10. **ante . . . consumados**   for fear of acts already committed.

acercaban hasta mí; una débil ráfaga de viento me anunciaba
la inmediata presencia, que se corroboraba a menudo con un
beso o una caricia. Después retornaba a sus quehaceres . . .
Antes de comer, gustaba ella de acicalarme; peinaba mi pelo
cuidadosamente, apretaba el nudo de mi corbata, equilibraba 5
las solapas de mi chaqueta . . .
   Pronto tuve la idea de establecer una comunicación más
eficaz con ella. Necesitaba hablarle a su alma; decirla[11] cuán
grande era mi dicha y qué dulce para mí su compañía . . . Fue
durante una velada después de la cena, cuando se me ocurrió 10
escribir con caracteres comunes la letra "A" sobre un papel;
hice que ella la viera y luego le tendí la mano. Rebeca comprendió
en el acto; rápidamente acomodó mis dedos en la forma de signo
"A", en el alfabeto de los sordomudos . . .
   Desde aquel momento se inició otra etapa de felicidad. El 15
día en que pude formar con mis manos una palabra completa
—"Pedro", que es mi nombre— ella dio rienda suelta a su
gozo y rió a carcajadas roncas y estrepitosas. Luego púsose a
brincar en torno mío[12] y a llenarme de besos.
   Había dado el primer paso para llegar a un entendimiento casi 20
perfecto; ella podía captar ya mis pensamientos, recibir mis
confidencias; pero yo, de su parte, sólo conocía manifestaciones
físicas, muy expresivas, muy elocuentes, pero jamás el fondo de
esa alma que adivinaba excelente. Entonces pensé enseñarle la
escritura en el sistema de Braille; de esta suerte[13] podría yo 25
hablar con mis manos y ella responder por escrito.
   Pero por más que me esforcé[14] empleando mis conocimientos
didácticos, en el cerebro de ella nunca pudo entrar tal aprendizaje; cuando se convencía de su torpeza, lloraba amargamente
sobre mi pecho. 30

11. **decirla** *See note 2.*
12. **en torno mío** about me.
13. **de esta suerte** in this way.
14. **por . . . esforcé** no matter how I tried.

Los viernes nos tocaba concierto de la Sinfónica;[15] ella iba entusiasmada, porque adivinaba mi gusto por la música. Los domingos concurríamos juntos al cine; yo entonces era feliz por obsequiarla.

Una vez vibramos al unísono; las manos que se estrujaron 5 presas de un entusiasmo mutuo y el palpitar de nuestros pechos se sincronizó por virtud del arte excelso; fué cuando ella *vio* y yo *escuché* "Fantasía" de Walt Disney... Seguimos esa película por cuantos salones fue exhibida. Después de esa prueba, nos sentimos más uno del otro. 10

Pronto me transformé en un consumado maestro en el idioma de los mudos; ella veía el rápido movimiento de mis dedos y pescaba las ideas y las recomendaciones con admirable destreza. Podría decirse que penetraba en mis pensamientos, para obrar en forma tal que siempre me dejaba complacido y satisfecho; 15 su defecto físico era entonces superado por la voluntad que el amor generaba. Todas sus acciones, todos sus movimientos, no tenían más finalidad que mi provecho y mi satisfacción... Yo recompensaba aquel maravilloso esfuerzo con toda la ternura de mi corazón. 20

Hacendosa y activa, había hecho del mío el hogar ideal. Los múltiples utensilios domésticos tenían siempre un lugar preciso, permanente; todo estaba puesto al alcance de mi mano, todo: mis libros, mis instrumentos de escritura, mi ropa... En el apacible corredorcito siempre había manojos de flores perfuma- 25 das y hasta la jaula de un jilguero que cantaba por las mañanas sólo para mí. La casa entera olía a limpio y mis manos jamás se empolvaron al pasar sobre la superficie de los muebles...

Una noche inolvidable noté que su vientre se llenaba, se abombaba perceptiblemente. Cuando ella advirtió mi entusiasmo 30 por el descubrimiento, se echó en mis brazos; por mi cuello corrieron sus lágrimas tibias.

15. **Los ... Sinfónica** Friday was the day we went to the symphony.

Durante aquellos días llegamos a entendernos perfectamente; ella, con leves golpes sobre mi hombro, alcanzó a comunicarme su aprobación o su negativa; su gusto o su pesar.

Una vez metió la diestra entre mis manos y se dio a formar con sus dedos los caracteres del idioma silencioso, para mí ya tan conocido; yo logré identificarlos inmediatamente por medio del tacto. Su primera frase es imborrable: "Espero que no nazca sordomudo" . . . Y así iniciamos la conversación discreta, exclusiva, como si se tratara de un diálogo de oído a oído.

Vino felizmente al mundo una hija saludable, de apariencia normal. Supe en el acto que sus ojitos estaban vivos, muy abiertos y sanos. Pero la angustia de la madre se prolongó hasta el día en que la niña volteó su carita hacia la sonaja que Rebeca agitaba rabiosamente entre sus manos.

La niña fue definitiva consagración de nuestra ventura: chispa en mis tinieblas; acorde en su silencio; música y luz al mismo tiempo; vínculo sutil entre dos almas que, amándose a distancia, hallan por fin el camino para llegarse una hasta la otra y confundirse en anhelo eterno.

Durante meses enteros hablaba yo a la niña horas seguidas;[16] sabía que ella escuchaba mis voces y que pronto interpretaría muchas de ellas; cuando sonreía, mi mujer lanzaba aquellas carcajadas gangosas y desapacibles con las que, muy de vez en vez, demostraba su regocijo. Ella, en su turno, hacía frente a nuestra hija mil zalamerías y piruetas,[17] que la chica festejaba ruidosamente; entonces era yo el que gozaba, al confirmar que aquella niña tenía la divina capacidad de oír la voz de su padre, a la vez que la de admirar la figura materna. ¡Espejo de ella frente a mí! ¡Transmisor fiel y maravilloso de mi pensamiento cerca de ella!

Mas un día, Rebeca se nos fue inesperada y silenciosamente;

16. **horas seguidas**   for hours on end.
17. **zalamerías y piruetas**   playful coaxings and gyrations.

tal como había llegado, emprendió el camino sin retorno. El hálito amado se apartó de mí y la bella silueta se borró para siempre de los ojos de su hija . . . Hace de eso apenas unos días,[18] amigo, todavía no saboreo plenamente la amargura del infortunio, ni conozco toda la inmensidad de mi desgracia.   5
Ayer el jilguero dejó de cantar.

Hoy vengo de la casa de un escultor amigo; he ido a encargarle un busto de ella, así podré palpar su hermoso perfil para no olvidarlo jamás; para mantenerlo siempre vivo entre las yemas de mis dedos . . . Conózcala usted, caballero y en vista de su   10 retrato, dése cuenta de la magnitud de mi desgracia —dijo el ciego mientras sacaba de su cartera, repleta de papeles, el retrato que iba a servir de modelo al escultor . . .

Tomé entre mis manos la fotografía de una mujer con facciones vulgares, rechoncha, rubia descolorida . . . En sus ojos brillaba   15 un fulgor de inteligencia y en sus labios plegados se advertía la voluntad.

—Bella, ¿es verdad? —preguntó él.

—¿Bella? Sí, amigo mío, bella y mucho.

El ciego sacó de su bolsillo un pañuelo y lo llevó debajo de   20 sus espejuelos negros.

—Perdóneme, caballero, esto no es cobardía . . . es, simplemente, que mis ojos desde hace algunos días vienen ejerciendo frecuentemente su única facultad.

Exercises

A. QUESTIONS

1. ¿Qué información acerca del señor ciego nos proporciona el narrador?
2. ¿Cómo fue el primer encuentro con la que después sería su esposa?
3. ¿De qué se dio cuenta cuando ella se puso en pie después del concierto?

18. **Hace . . . días**   It happened just a few days ago.

4. ¿Qué hizo el maestro, por fin, para localizar a la señorita sordo-muda?

5. ¿Qué sucedió cuando entró por segunda vez en el plantel de los sordomudos?

6. ¿Qué le dijo al director cuando los dos fueron acusados de violar las reglas de la escuela?

7. ¿Comó se estableció una comunicación más eficaz entre los dos?

8. ¿Por qué les gustó tanto "Fantasía"?

9. ¿Por qué les causó tanta felicidad la niña?

10. Discuta Vd. las ironías implícitas en: a) la fotografía de Rebeca; b) el comentario del ciego sobre la función de sus ojos.

B. VERB EXERCISE

Using the expressions in the right-hand column, give the Spanish for the English sentences listed on the left.

1. (a) She will play the part of Juliet.   *desempeñar el papel*
   (b) My friend played the part of a spy in that movie.

2. (a) He realizes that he is wrong.   *darse cuenta de*
   (b) We realized that she wanted us to leave.

3. (a) They never notice me.   *fijarse en*
   (b) No one noticed that he had arrived.

4. (a) The room smells of flowers.   *oler a*
   (b) I liked the book because it smelled of a woman's perfume.

5. (a) He doesn't want to give back my hat.   *devolver*
   (b) She returned my look of sadness.

6. (a) He is grateful to us for the help we gave him.   *agradecer*
   (b) We were appreciative of the present he gave us.

7. (a) Where do I take the streetcar?   *abordar*
   (b) I got on the train in Mexico City.

8. (a) Why does he always remain silent?   *permanecer*
   (b) He remained at home when she went shopping.

9. (a) We are trying to locate our friend.   *localizar*
   (b) I didn't find the book that he wanted.
10. (a) He always offers his hand when he   *tender la mano*
    sees me.
    (b) She offered him a hand to help him get up.

C. DRILL ON NEW EXPRESSIONS

Translate the following sentences into Spanish, selecting from the expressions on the right the one corresponding to the italicized English words on the left.

1. They did *not even* try to call me.   *amor a primera vista*
2. *It's not worth the trouble* to study for that   *a bordo de*
   exam.
3. It was a case of *love at first sight*.   *vestido de luto*
4. *By means of* tears, she convinced me.   *juntos*
5. I liked her *more and more*.   *ni siquiera*
6. My *state of mind* had not improved.   *valer la pena*
7. He came to the wedding *dressed in*   *por más que*
   mourning.
8. They studied *together* for the exam.   *por medio de*
9. *On board* the train we had a good time.   *cada vez más*
10. *No matter how much* he tries, he'll never   *estado de ánimo*
    understand her.

D. SENTENCE COMPLETION EXERCISE

Complete, in any way you see fit, the sentence fragments given below by selecting for each a suitable verb from among those listed in Exercise B, observing always the subject indicated here, and placing the new verb in an appropriate tense or mood.

1. El no quería ir porque
2. Yo no creía que ellos
3. Mi hermano y yo queremos que tú
4. Si ellos se van, nosotros
5. Para ella fue imposible

EL PAJAREADOR

This story, first published in 1933, was most likely written with the miseries of pre-revolutionary Mexico in mind. Its merit is to render the concept of exploitation meaningful in human terms. This it achieves by dramatizing an episode in one boy's life. The process, from his first ingenuous enthusiasm to the final terrified nightmare, is traced stage by stage.

In literary terms, the author makes effective use of the leitmotif of the boy's cry, "Ey, jaley . . . jaley," which resounds throughout the story, each time connoting increased frustration and anguish. Framing the boy's experience is the commentary of his father, which makes clear why the dehumanizing ordeal is necessary from the family's point of view. Thus the implicit note of social criticism becomes even stronger.

El pajareador

Por el hecho de haber escupido con toda felicidad el último diente de leche, la vida del muchacho tomó un nuevo camino. Sus padres, tras densas reflexiones y pesados razonamientos, determinaron mandarlo a trabajar, a ponerlo en contacto con el sol, la tierra y el agua, con cuya sociedad[1] algún día el vacío granero familiar se habría de ver a reventar.[2]

Así fue como una mañana risueña y calurosa, el niño echó a andar por la vereda. Los rayos del sol colados por la bóveda[3] de los arbustos, manchaban con florones dorados trechos del camino; el viento jugaba con las hojas desprendidas de las ramas; los tordos se decían estupideces de un nido a otro y, abajo, la canción del arroyo se deshacía en espuma, cuando las aguas se precipitaban en cascadas sobre el lecho rocoso y profundo.

El muchacho, recibiendo en todo el rostro la caricia del aire tibio y blando, marchaba optimista hacia el enorme potrero que se extendía de cerro a cerro, como una gran alfombra plateada,[4] o como un pequeño lago cuyas olas se mecieran en el columpio[5] del viento.

Con el morral del bastimento pendiente de un hilillo[6] que le

---

1. **con cuya sociedad** from association with which.
2. **se habría de ver a reventar** would be seen filled to bursting.
3. **colados por la bóveda** filtering through the arched cover.
4. **alfombra plateada** silvery carpet.
5. **se mecieran . . . columpio** swayed on the swing.
6. **Con el morral . . . hilillo** With his sack of provisions hanging from a string.

cruzaba el pecho y la honda de mecate⁷ liada a la cintura, el niño
veía acercarse el sembradío de cebada a punto de pizca,⁸ futuro
campo de sus actividades.

Aquella mañana rodeó por el guardaganado⁹ y llegó tarde al
potrero; los que iban a ser sus camaradas de trabajo hacía una 5
hora que habían principiado la faena.

Cuando le vieron llegar, se rieron de su tardanza y el mayordomo le aconsejó paternalmente: "No hay que dejar camino por
vereda. Entra siempre por el portillo del lambedero; porque dar
vuelta por el guardaganado resulta muy largo." 10

En seguida se incorporó a la turba de rapaces, que habían
suspendido su labor para ver con atención al "nuevo".

El mayordomo esperó prudentemente hasta que los muchachos consumieron el platillo de la curiosidad.¹⁰ Luego gritó con
energía: 15

"Vamos sobre ¹¹ los tordos, que ahora estos pájaros del diablo
se levantaron con apetencia. . . ¡ Sobre los tordos, muchachos!"

Y los niños se esparcieron por el potrero armando una gritería
infernal, mientras lanzaban tras el chasquido de sus hondas,
gordos pedruscos que, al caer en medio del sembradío, levan- 20
taban nubes de tordos hambrientos:

—¡ Ey, jaley . . . jaley . . . jaley! . . .

La bandada de pájaros se alzaba tan sólo algunos metros para
volar un trecho y volver a caer con necedad de acridios ¹² sobre
las espigas de cebada madura . . . 25

—¡ Ey, jaley . . . jaley . . . jaleyyyyy! . . .

Seguía la carrera interminable y seguía el constante tronar de
las pajuelas que se destrenzaban en el extremo de las hondas.

---

7. **mecate** hemp. *Adaptation of an Aztec word,* **mecatl.** *The Aztec language.*
was called Nahuatl. Many Mexican words ending in -te, *such as* **petate, chocolate, ocote,**
mezquite, *were formerly Nahuatl words ending in* -tl.

8. **sembradío . . . pizca** field of barley almost ripe for gleaning.

9. **rodeó por el guardaganado** he went around the cattle barrier.

10. **consumieron . . . curiosidad** had satiated their curiosity.

11. **Vamos sobre** Let's get after.

12. **con necedad de acridios** with grasshopper-like foolishness.

El oficio no era difícil de aprender; por eso pronto se vio al "nuevo" encabezando al grupo de pajareadores, gritar con todas sus fuerzas y tronar a más y mejor[13] la punta de la honda, en cuyo tejido su padre había pasado la noche en vela.[14]

Durante la primera hora de labor, la cosa caminó sobre rieles.[15] Le divertía ver cómo al conjuro de su grito, las negras aves dejaban la pitanza y se echaban a volar llenas de miedo; pero poco después le chocó la insistencia de los animaluchos. No había acabado de repetirse el eco del pajuelazo, cuando ya los pájaros se asentaban de nuevo, como burlándose del celo de la muchachada.

—¡Ey . . . jaley . . . jaleyyyyy! . . .

Muy pronto la terquedad de los tordos le puso corajudo. Impelido por la ira se lanzó como bestezuela hasta llegar muy cerca del lugar donde los animales hacían de las suyas.[16] De los millares de piedras que el niño había lanzado contra la bandada, una rompió el pecho de un pájaro que quedó con el pico abierto y las patas crispadas. Él lo recogió y lo deshizo entre sus dedos trémulos. Luego limpió en sus calzones de manta las manos ensangrentadas y se hizo un penacho de plumas negras que clavó en la copa de su sombrero de palma.

—¡Ey . . . jaley . . . jaleyyyyy! . . .

Pero cuando los rayos del sol cayeron sobre su cabeza como tormenta de puñales, empezó a sentir cansancio. Primero se le secó la garganta hasta el grado de que[17] sus gritos no salían del pecho sin antes causarle fuertes dolores; luego el brazo, cansado de tanto girar sobre su cabeza, mientras preparaba el disparo del pedrajo que jugueteaba en la hoja tejida[18] de la honda, se había

13. **a más y mejor**   extremely well.
14. **en vela**   awake.
15. **caminó sobre rieles**   went smoothly.
16. **hacían de las suyas**   were playing their tricks.
17. **hasta . . . que**   so much that.
18. **que jugueteaba . . . tejida**   that was bouncing around in the woven pocket.

abotagado en tal forma, que la muñeca se agarrotaba horriblemente.

Sus pies descalzos resbalaban sobre la terronera del surco;
pequeños y filosos guijarros eran desenterrados por su planta
desnuda, para clavársele en las carnes tiernas. 5
El corazón, que le brincaba en la garganta, impedía que el aire
llegara a sus pulmones, y de sus ojos inyectados escurrían
lágrimas.

Cuando llegó la hora del almuerzo, el muchacho se dejó caer
rendido a la pobre sombra de un huizache. Como no sentía 10
apetito, permitió que sus compañeros dieran cuenta[19] del
bastimento.

Momentos después, se volvía a arrastrar entre los matorrales
del sembradío. Las piernas sangrantes por el roce de las espigas
se negaban ya a sostenerlo, y los tordos, aprovechando la 15
derrota del más enconado de sus perseguidores, llenaban el
buche a su entero gusto.

De vez en cuando se escuchaba el chasquido de una honda y el
grito penetrante de los pajareadores:

—¡Ey . . . jaley . . . jaleyyyyy! . . . 20

Los niños trabajadores rindieron la jornada[20] junto con el sol.
Al pardear, los tordos emprendieron el vuelo hacia la montaña y
los hombrecitos se agruparon también, para regresar al rancho.
Echaron a andar con rumbo al portillo del lambedero y por 25
allí salieron al camino real.

Todos cantaban, menos el "nuevo," que caminaba tras del
grupo rengueando lamentablemente.

Las canciones de sus compañeros le llenaban de tristeza.

Esta impresión, unida al cansancio y al dolor, le hizo enfer- 30
marse.

Cuando las casas del rancho aparecieron en el fondo de la

---

19. **dieran cuenta**   see to, *i.e.*, eat.
20. **rindieron la jornada**   ended their working day.

cañada, sintióse tan cansado, que se dejó caer sin sentido en medio del camino y no supo quién lo llevó en brazos hasta el jacal de sus padres.

Allí, tendido en el petate de varas de membrillo, soñó que millones de gigantescos tordos rojos le picoteaban las piernas 5 y le saltaban los ojos[21] y que el calor del sol se le metía por las venas, hasta abrirlas.

Su madre le dio una friega con manteca de res; le metió los pies en un lebrillo con agua tibia y le puso en las sienes unos chiquiadores de ruda.[22] Todo esto, mientras rezaba tres salves 10 y dos credos,[23] de acuerdo con la fórmula curativa de María Antonia, su vecina.

El padre, mientras acariciaba la cabeza monstruosa de "Coyote," el perro del hogar decía:

—Mañana amanece bueno[24] y se va al trabajo . . . Con lo que 15 raye[25] el sábado, echaremos maicito al solar.

Y el enfermo, presa de la fiebre, hacía roncar de vez en cuando su garganta:

—¡Ey . . . jaley . . . jaleyyyyy! . . .

Exercises

A. QUESTIONS

1. ¿Qué decidieron los padres del muchacho?
2. ¿Cómo fue la mañana en que el muchacho salió para ir al potrero?
3. ¿En qué consistía el trabajo de los niños?
4. ¿Cómo fue la reacción del muchacho durante la primera hora de trabajo?
5. ¿Por qué se puso enojado después?

21. **le saltaban los ojos** plucked out his eyes.
22. **chiquiadores de ruda** medicinal rue leaves.
23. **tres . . . credos** three Hail Mary's and two recitations of the Apostles' Creed.
24. **Mañana . . . bueno** He'll be fine when he wakes up tomorrow.
25. **Con lo que raye** With the pay he draws.

6. ¿En qué condición física se encontraba después del almuerzo?
7. ¿Cuándo terminó la jornada de los muchachos?
8. ¿Qué pasó cuando los muchachos se iban acercando al rancho?
9. Tendido en el petate, ¿en qué soñó el niño?
10. ¿Cuál fue la afirmación final del padre?

B. VERB EXERCISE

Using the expressions in the right-hand column, give the Spanish for the English sentences listed on the left.

1. (a) Approaching the field, the boy feels happy.   *acercarse a*
   (b) When we were getting near school, my friend fell.
2. (a) They have been working for an hour.   *hacer una hora que*
   (b) We had been studying an hour when teacher arrived.
3. (a) She goes around the block to get to school.   *dar vuelta por*
   (b) We went around the entire building before finding a door.
4. (a) They enjoy themselves singing songs.   *divertirse*
   (b) We had a good time at the party.
5. (a) The house was left with the windows open.   *quedar con*
   (b) I'll stay with her while you go to the store.
6. (a) The policeman keeps the people from leaving.   *impedir*
   (b) The wall prevented the water from reaching the highway.
7. (a) I use my free time to read Spanish poetry.   *aprovechar*
   (b) We took advantage of the rain to wash my car.
8. (a) She doesn't let me read her books.   *permitir*

(b) The teacher did not allow students to speak
English in class.

9. (a) He picks up the money and leaves the   *recoger*
room.
(b) Tomorrow you will be able to pick up your
shirts at the laundry.

10. (a) I advise you to tell the truth when you can.   *aconsejar*
(b) He advised me to eat, but I wasn't hungry.

C. DRILL ON NEW EXPRESSIONS

*Translate the following sentences into Spanish, selecting from the expressions
on the right the one corresponding to the italicized English words on the left.*

1. He *began to* run down the street.   *burlarse de*
2. He wrote the story *according to* my   *volver a*
instructions.
3. He *joined* the group of students who were   *amanecer*
waiting for the streetcar.
4. The class was *about to* explode in laughter.   *echar a*
5. I *refuse* to believe what he told me.   *estar cansado de*
6. We never *make fun of* his pronunciation.   *de acuerdo con*
7. He was sick yesterday, but he *woke up* well   *incorporarse a*
today.
8. *Amidst* all that noise, he couldn't think.   *negarse a*
9. I never saw her *again*.   *a punto de*
10. We *are tired of* listening to the story of her life. *en medio de*

D. SENTENCE COMPLETION EXERCISE

*Complete, in any way you see fit, the sentence fragments given below by
selecting for each a suitable verb from among those listed in Exercise B,
observing always the subject indicated here, and placing the new verb in an
appropriate tense or mood.*

1. Yo me fui porque ella
2. Después del choque el automóvil
3. Queríamos ir al teatro, pero ella
4. Cuando salimos juntos, yo siempre
5. Mañana mi amigo vendrá temprano, porque él

LA TONA

Without glossing over the primitive quality of existence among Mexico's Indian minorities, Rojas González finds features in the Indian's culture which help to explain how he has been able to survive over the centuries. In this story, first published in 1952, he dramatizes his characters' stoicism and their openness to change.

The mechanism of the story is the contrast between the values of Simón, with his mixture of pre-Hispanic and Christian beliefs, and those of the Mexican doctor, who commands the skills of modern society. Significantly, each man proves willing to accept the other. Simón's imperfect Spanish does not prevent the doctor from seeing him as a worthy human being.

The product of the author's direct experience as an anthropologist, "La tona" sums up in a note of humor the possibility of bridging the gap between cultures in Mexico.

La tona [1]

Crisanta descendía por la vereda que culebreaba entre los peñascos de la loma clavada entre la aldehuela y el río, de aquel río bronco al que tributaban los torrentes que, abriéndose paso entre jarales y yerbajos, se precipitaban arrastrando tras sí costras de roble hurtadas al monte. Tendido en la hondo- 5 nada, Tapijulapa, el pueblo de indios pastores. Las torrecitas de la capilla, patinadas de fervores y lamosas de años,[2] perforaban la nube aprisionada entre los brazos de la cruz de hierro.

Crisanta, india joven, casi niña, bajaba por el sendero; el aire de la media tarde calosfriaba su cuerpo encorvado al peso 10 de un tercio de leña; la cabeza gacha y sobre la frente un manojo de cabellos empapados de sudor. Sus pies —garras a ratos, pezuñas por momentos—[3] resbalaban sobre las lajas, se hundían en los líquenes o se asentaban como extremidades de plantígrado en las planadas del senderillo . . .[4] Los muslos de la 15 hembra, negros y macizos, asomaban por entre los harapos de la enagua de algodón, que alzaba por delante hasta arriba de las rodillas, porque el vientre estaba urgido de preñez . . . la marcha se hacía más penosa a cada paso; la muchacha deteníase por instantes a tomar alientos; mas luego, sin levantar la cara, reanu- 20

1. **tona** *Among certain Indians of Guerrero, Chiapas and Oaxaca, an animal which serves as guiding spirit to an individual throughout his lifetime.*
2. **patinadas . . . años** filmed over with fervor and layered with age.
3. **Sus . . . momentos** Her feet—at times claws, at moments hooves—.
4. **o se asentaban . . . senderillo** or set down firmly like animal paws on the flat areas of the path.

daba el camino con ímpetus de bestia que embistiera al fantasma del aire.

Pero hubo un momento en que las piernas se negaron al impulso, vacilaron. Crisanta alzó por primera vez la cabeza e hizo vagar sus ojos en la extensión. En el rostro de la mujercita zoque cayó un velo de angustia; sus labios temblaron y las aletas de su nariz latieron, tal si olfatearan.[5] Con pasos inseguros la india buscó las riberas; diríase llevada[6] entonces por un instinto, mejor que impulsada por un pensamiento. El río estaba cerca, a no más de veinte pasos de la vereda. Cuando estuvo en las márgenes, desató el "mecapal"[7] anudado a su frente y con apremios depositó en el suelo el fardo de leña; luego, como lo hacen todas las zoques, todas:

la abuela,
la madre,
la hermana,
la amiga,
la enemiga,

remangó hasta arriba de la cintura su faldita andrajosa, para sentarse en cuclillas,[8] con las piernas abiertas y las manos crispadas sobre las rodillas amoratadas y ásperas. Entonces se esforzó al lancetazo del dolor. Respiró profunda, irregularmente, tal si todas las dolencias hubiéransele anidado en la garganta. Después hizo de sus manos, de aquellas manos duras, agrietadas y rugosas de fatigas, utensilios de consuelo, cuando las pasó por el excesivo vientre ahora convulso y acalambrado. Los ojos escurrían lágrimas que brotaban de las escleróticas congestionadas. Pero todo esfuerzo fue vano. Llevó después sus dedos,

5. **las aletas . . . olfatearan**   her nostrils quivered, as if they were sniffing the air.

6. **diríase llevada**   one would have said she was carried.

7. **mecapal**   *A fiber, bark, or leather binding, passing over the forehead, used to haul loads on one's back.*

8. **remangó . . . cuclillas**   she rolled her ragged skirt to above her waist, in order to squat down.

únicos instrumentos de alivio, hasta la entrepierna ardorosa, tumefacta y de ahí los separó por inútiles . . . ⁹ Luego los encajó en la tierra con fiereza y así los mantuvo, pujando rabia y desesperación . . . De pronto la sed se hizo otra tortura . . . y allá fue, arrastrándose como coyota, hasta llegar al río; tendióse sobre la ⁵ arena, intentó beber, pero la náusea se opuso cuantas veces quiso pasar un trago; ¹⁰ entonces mugió su desesperación y rodó en la arena entre convulsiones. Así la halló Simón su marido.

Cuando el mozo llegó hasta su Crisanta, ella lo recibió con palabras duras en lengua zoque; pero Simón se había hecho 10 sordo. Con delicadeza la levantó en brazos para conducirla a su choza, aquel jacal pajizo, incrustado en la falda de la loma. El hombrecito depositó en el petate la carga trémula de dos vidas y fue en busca de Altagracia, la comadrona vieja que moría de hambre en aquel pueblo en donde las mujeres se las arreglaban 15 solas, a orillas del río, sin más ayuda que sus manos, su esfuerzo y sus gemidos.

Altagracia vino al jacal seguida de Simón. La vieja encendió un manojo de ocote que dejó arder sobre una olla, en seguida, con ademanes complicados y posturas misteriosas, se arrodilló 20 sobre la tierra apisonada, rezó un credo al revés, empezando por el "amén" para concluir en el " . . . padre, Dios en creo"; fórmula, según ella, "linda" para sacar de apuros a la más comprometida. Después siguió practicando algunos tocamientos sobre la barriga deforme.   25

—No te apures, Simón, luego la arreglamos. Esto pasa siempre con las primerizas . . . ¡Hum, las veces que me ha tocado ¹¹ batallar con ellas . . .! —dijo.

—Obre Dios ¹² —contestó el muchacho mientras echaba a la fogata una raja resinosa.   30

---

9. **por inútiles** because they were useless.
10. **cuantas . . . trago** every time she tried to take a swallow.
11. **que me ha tocado** that I've had to.
12. **Obre Dios** God help us!

—¿Hace mucho que te empezaron los dolores, hija?

Y Crisanta tuvo por respuesta sólo un rezongo.

—Vamos a ver, muchacha —siguió Altagracia—: dobla tus piernas . . . Así, flojas. Resuella hondo, puja, puja fuerte cada vez que te venga el dolor . . . Más fuerte, más . . . ¡Grita, 5 hija . . .!

Crisanta hizo cuanto se le dijo y más; sus piernas fueron hilachos, rugió hasta enronquecer y sangró sus puños a mordidas.

—Vamos, ayúdame muchachita —suplicó la vieja en los momentos en que pasaba rudamente sus manos sobre la barriga 10 relajada, pero terca en conservar la carga . . .

Y los dedazos de uñas corvas y negras echaban toda su habilidad, toda su experiencia, todas sus mañas en los frotamientos que empezaban en las mamas rotundas, para acabar en la pelvis abultada y lampiña. 15

Simón, entre tanto, habíase acurrucado en un rincón de la choza; entre sus piernas un trozo de madera destinado a ser cabo de azadón. El chirrido de la lima que aguzaba un extremo del mango distraía el enervamiento, robaba un poco la ansiedad del muchacho. 20

—Anda, madrecita, grita por vida tuya . . . Puja, encorajínate . . . Díme chiches de perra;[13] pero date prisa . . . Pare, haragana. Pare hembra o macho, pero pronto . . . ¡Cristo de Esquipulas![14]

La joven no hacía esfuerzo ya; el dolor se había apuntado un triunfo.[15] 25

Simón trataba ahora de insertar a golpes el mango dentro del arillo del azadón; de su boca entreabierta salían sonidos roncos.

Altagracia sudorosa y desgreñada, con las manos tiesas abiertas en abanico, se volvió hacia el muchacho quien había logrado, por fin, introducir el astil en la argolla de la azada;[16] el trabajo 30

13. **encorajínate . . . perra** get furious . . . Call me "bitch-breasts."
14. **¡Cristo de Esquipulas!** *Reference may be to a statue venerated in the tiny village of Esquipulas.*
15. **el dolor . . . triunfo** pain had proved triumphant.
16. **introducir . . . azada** in attaching the handle onto the hoe collar.

había alejado un poco a su pensamiento del sitio en que se escenificaba el drama.

—Todo es de balde, Simón, viene de nalgas [17] —dijo la vieja a gritos, mientras se limpiaba la frente con el dorso de su diestra.

Y Simón, como si volviese del sueño, como si hubiese sido   5
sustraído por las destempladas palabras de una región luminosa
y apacible:

—¿De nalgas? Bueno . . . ¿y'hora qué? [18]

La vieja no contestó; su vista vagaba por el techo del jacal.

—De ahí —dijo de pronto—, de ahí, de la viga madre cuelga   10
la coyunda para hacer con ella el columpio . . . [19] Pero pronto,
muévete —ordenó Altagracia.

—No, eso no —gimió él.

—Anda, vamos a hacer la última lucha . . . Cuelga la coyunda
y ayúdame a amarrar a la muchacha por los sobacos.   15

Simón trepó sin chistar por los amarres de los muros pajizos
e hizo pasar la cinta de jarcia sobre el morillo horizontal que
sostenía la techumbre. [20]

—Jala fuerte . . . fuerte, con ganas. [21] ¡Hum, no pareces
hombre . . .! Jala, demonio.   20

A poco Crisanta era un títere que pateaba y se retorcía pendiente de la coyunda.

Altagracia empujó al cuerpo de la muchacha . . . Ahora más
que pelele, era una péndola de tragedia, un pezón de delirio . . .

Pero Crisanta ya no hacía nada por ella, había caído en un   25
desmayo convulsivo.

—Corre, Simón —dijo Altagracia con acento alarmado—, ve
a la tienda y compra un peso de chile seco; hay que ponerlo en

17. **Todo . . . nalgas**   It's all useless, it's coming buttocks-first.
18. **Bueno . . . ¿y'hora qué?**   Well . . . now what?   30
19. **de la viga . . . columpio**   hang the yoke-strap from the main roof-beam so that we can make a swing out of it.
20. **trepó . . . techumbre**   without a murmur clambered up the fastenings of the straw walls and passed the fiber strap over the horizontal beam that held the roof up.
21. **con ganas**   as if you meant it.

las brasas para que el humo la haga toser. Ella ya no puede, se está pasando . . . Mientras tú vas y vienes, yo sigo mi lucha con la ayuda de Dios y de María Santísima . . . Le voy a trincar la cintura con mi rebozo,[22] a ver si así sale . . . ¡Corre por vida tuya!

Simón ya no escuchó las últimas palabras de la vieja; había 5 salido en carrera para cumplir el encargo.

En el camino tropezó con Trinidad Pérez, su amigo el peón de la carretera inconclusa que pasaba a corta distancia de Tapijulapa.

—Aguárdate, hombre, saluda siquiera [23] —gritó Trinidad 10 Pérez.

—Aquélla está pariendo desde antes de que el sol se metiera y es hora que todavía no puede —informó el otro sin detenerse.

Trinidad Pérez se emparejó con Simón, los dos corrían.

—Le está ayudando doña Altagracia . . . Por luchas no ha 15 quedado.[24]

—¿Quieres un consejo, Simón?

—Viene . . .

—Vete al campamento de los ingenieros de la carretera. Allí está un doctor que es muy buena gente, llámalo. 20

—¿Y con qué le pago?

—Si le dices lo pobres que somos, él entenderá . . . Anda, déjate de Altagracia.

Simón ya no reflexionó más y en lugar de torcer hacia la tienda, tomó por el atajo que más pronto lo llevaría al campa- 25
mento. La luna, muy alta, decía que la media noche estaba cercana.

Frente al médico, un viejo amable y bromista, Simón el indio zoque no tuvo necesidad de hablar mucho y, por ello, tampoco poner en evidencia su mal español. 30

—¿Por qué se les ocurrirá a las mujeres hacer sus gracias [25]

22. **voy . . . rebozo** I'm going to bind her waist with my shawl.
23. **Aguárdate . . . siquiera** Wait up, man; at least say "hello."
24. **Por . . . quedado** It hasn't been for lack of struggling.
25. **hacer sus gracias** to be funny.

precisamente a estas horas? —se preguntó el doctor a sí mismo, mientras un bostezo ahogaba sus últimas palabras . . . Mas luego de desperezarse, añadió de buen talante—: ¿Por qué se nos ocurre a algunos hombres ser médicos? Iré, muchacho, iré luego, no faltaba más . . .[26] ¿Está bueno el camino hasta tu pueblo?

—Bueno, parejito, como la palma de la mano . . .

El médico guardó en su maletín algunos instrumentos niquelados, una jeringa hipodérmica y un gran paquete de algodón; se caló su viejo "panamá", echó "a pico de botella" un buen trago de mezcal, aseguró sus ligas de ciclista sobre las "valencianas" del pantalón de dril[27] y montó en su bicicleta, mientras escuchaba a Simón que decía:

—Entrando por la zurda, es la casita más repegada a la loma.

Cuando Simón llegó a su choza, lo recibió un vagido largo y agudo, que se confundió entre el cacareo de las gallinas y los gruñidos de "Mit-Chueg", el perro amarillo y fiel.

Simón sacó de la copa de su sombrero un gran pañuelo de yerbas; con él se enjugó el sudor que le corría por las sienes; luego respiró profundo, mientras empujaba tímidamente la puertecilla de la choza.

Crisanta, cubierta con un sarape desteñido, yacía sosegada. Altagracia retiraba ahora de la lumbre una gran tinaja con agua caliente, y el médico, con la camisa remangada, desmontaba la aguja de la jeringa hipodérmica.

—Hicimos un machito —dijo con voz débil y en la aglutinante lengua zoque Crisanta cuando miró a su marido. Entonces la boca de ella se iluminó con el brillo de dos hileras de dientes como granitos de elote.

—¿Macho? —preguntó Simón orgulloso—. Ya lo decía yo . . .

Tras de pescar el mentón de Crisanta entre sus dedos toscos

26. **no faltaba más** of course!
27. **aseguró . . . dril** fastened his bicycling clips over the cuffs of his cotton pants.

e inhábiles para la caricia, fue a mirar a su hijo, a quien se disponían a bañar el doctor y Altagracia. El nuevo padre, rudo como un peñasco, vio por unos instantes aquel trozo de canela que se debatía y chillaba.

—Es bonito —dijo—: se parece a aquélla en lo trompudo —y ⁵ señaló con la barbilla a Crisanta. Luego, con un dedo tieso y torpe, ensayó una caricia en el carrillo del recién nacido.

—Gracias, doctorcito . . . Me ha hecho usté ²⁸ el hombre más contento de Tapijulapa.

Y sin agregar más, el indio fue hasta el fogón de tres piedras ¹⁰ que se alzaba en medio del jacal. Ahí se había amontonado gran cantidad de ceniza. En un bolso y a puñados, recogió Simón los residuos.

El médico lo seguía con la vista, intrigado. El muchacho, sin dar importancia a la curiosidad que despertaba, echóse sobre ¹⁵ los hombros el costalillo y así salió del jacal.

—¿Qué hace ése? —inquirió el doctor.

Entonces Altagracia habló dificultosamente en español:

—Regará Simón la ceniza alrededor de la casa . . . Cuando amanezca saldrá de nuevo. El animal que haya dejado pintadas ²⁰ sus huellas en la ceniza será la *tona* del niño. Él llevará el nombre del pájaro o la bestia que primero haya venido a saludarlo; coyote o tejón, chuparrosa, liebre o mirlo, asegún . . .²⁹

—¿*Tona* has dicho?

—Si, *tona*, ella lo cuidará y será su amiga siempre, hasta que ²⁵ muera.

—Ahá —dijo el médico sonriente—, se trata de buscar al muchacho un espíritu tutelar . . .

—Sí, —aseguró la vieja— ése es el costumbre de po'acá . . .³⁰

—Bien, bien, mientras tanto, bañémoslo, para que el que ha ³⁰ de ser su *tona* lo encuentre limpiecito y buen mozo.³¹

28. **usté (usted).**
29. **tejón . . . asegún**   badger, humming bird, hare or blackbird, whatever.
30. **de po' acá (de por acá)**   around these parts.
31. **buen mozo**   handsome.

Cuando regresó Simón con el bolso vacío de cenizas, halló
a su hijo arropadito y fresco, pegado al hombro de la madre.
Crisanta dormía dulce y profundamente . . . El médico se
disponía a marcharse.

—Bueno, Simón —dijo el doctor—, estás servido.   5
—Yo quisiera darle a su mercé más que juera un puñito de
sal . . .[32]

—Deja, hombre, todo está bien . . . Ya te traeré unas medicinas
para que el niño crezca saludable y bonito . . .

—Señor doctor —agregó Simón con acento agradecido—,   10
hágame su mercé otra gracia, si es tan bueno.

—Dime, hombre.

—Yo quisiera que su persona juera mi compadre . . . Lleve
usté a cristianar a la criaturita. ¿Quere?

—Sí, con mucho gusto, Simón, tú me dirás.   15
—El miércoles, por favor, es el día en que viene el padre cura.

—El miércoles vendré . . . Buenas noches, Simón . . . Adiós,
Altagracia, cuida a la muchacha y al niño . . .

Simón acompañó al médico hasta la puerta del jacal. Desde
ahí lo siguió con la vista. La bicicleta tomó los altibajos del   20
camino gallardamente; su ojo ciclópeo[33] se abría paso entre las
sombras. Un conejo encandilado cruzó la vereda.

Puntual estuvo el médico el miércoles por la mañana.

La esquila llamó a misa, los zoques vestidos de limpio aguarda-
ban en el atrio. La chirimía tocaba aires alegres. Tronaban los   25
cohetes. Todos los ahí reunidos, hombres y mujeres, esperaban
ansiosos la llegada de Simón y su comitiva bautismal.

Por allá, hacia la loma, se miró al grupo que se dirigía a la
iglesia. Crisanta, fresca y rozagante, cargaba a su hijo seguida de
Altagracia, la madrina. Atrás de ellas, Simón y el médico char-   30
laban amigablemente . . .

---

32. **darle . . . sal** to give you something, even if it's only a bit of salt.
33. **ojo ciclópeo** Cyclops eye (*i.e., the bicyle lamp*).

—¿Y qué nombre le vas a poner a mi ahijado, compadre Simón?

—Pos [34] verá usté, compadrito doctor . . . Damián, porque así dice el calendario de la iglesia . . . Y Becicleta,[35] porque ésa es su *tona*, así me lo dijo la ceniza . . .   5

—Conque ¿Damián Bicicleta? Es un bonito nombre, compadre . . .

—*Axcale* —afirmó muy categóricamente el zoque.

Exercises

A. QUESTIONS

1. Haga una breve descripción de Crisanta tal como la vemos en la primera escena del cuento.
2. ¿Cómo reacciona Crisanta al dolor que ella siente?
3. ¿Qué hizo Simón cuando la encontró?
4. Describa Vd. algunos de los procedimientos curativos de Altagracia.
5. ¿Para qué quería Altagracia que Simón fuera a buscar chile seco?
6. ¿Cuál era el consejo de Trinidad Pérez?
7. ¿Cómo era la actitud del médico cuando Simón le pidió ayuda?
8. ¿Cómo era la situación cuando Simón llegó a la choza?
9. Explique Vd. el propósito de la ceniza.
10. ¿Por qué le puso Simón a su hijo el nombre Damián Bicicleta?

B. MULTIPLE-TENSE VERB DRILL

Using the expressions in the right-hand column, give the Spanish for the English sentences on the left.

1. (a) You'll have to push your way   *abrirse paso*
   through that group of students.
   (b) The car made its way through the
   darkness of the night.

34. **Pos (Pues).**
35. **Becicleta (Bicicleta)**   *A phonetic variation (dissimilation) common among uneducated speakers of Spanish.*

2. (a) He wakes up and drags himself to   *arrastrarse*
     school every morning.
   (b) The wounded man dragged himself to
     the river.

3. (a) I need someone who can get me out   *sacar de apuros*
     of trouble.
   (b) Our friends got us out of trouble
     at the last moment.

4. (a) She's getting ready to leave Sunday.   *disponerse a*
   (b) We were getting ready to eat when
     you came in.

5. (a) He displayed his unpleasant personality.   *poner en evidencia*
   (b) When they left so soon, they revealed
     their lack of courtesy.

6. (a) That man looks like my father.   *parecerse (a)*
   (b) The two boys looked like each other.

7. (a) Hurry up—it's past nine o'clock.   *darse prisa*
   (b) They hurried in order to arrive on time.

8. (a) After resting, we'll resume our journey.   *reanudar el camino*
   (b) The boy stopped for a minute, and then
     continued on his way.

9. (a) In some churches people kneel when   *arrodillarse*
     they pray.
   (b) He kneeled before asking her the
     question.

10. (a) I recommend that you carry out the   *cumplir el encargo*
     assignment.
   (b) He told her to carry out the assignment.

C. DRILL ON NEW EXPRESSIONS

Translate the following sentences into Spanish, selecting from the expressions on the right the one corresponding to the italicized English words on the left.

1. *At each step*, his foot hurt more.   *de buen talante*
2. *Instead of* going to the movies, they went to   *cada vez que*
    the library.
3. His work is *for nothing*; it won't succeed.   *buena gente*

4. He does things *backwards*—first he eats, then   *a cada paso*
   he washes his hands.
5. He walked *ahead*, and I followed slowly.   *en lugar de*
6. When everyone has gone to sleep, he *keeps*   *al revés*
   on talking.
7. *Every time* I see her, I think of my sister.   *de balde*
8. He called, *shouting*, but no one heard him.   *por delante*
9. He listened *willingly*, but then he got angry.   *seguir hablando*
10. Miguel's brother is a *nice fellow*.   *a gritos*

D. SENTENCE COMPLETION EXERCISE

Complete, in any way you see fit, the sentence fragments given below by selecting for each a suitable verb from among those listed in Exercise B, observing always the subject indicated here, and placing the new verb in an appropriate tense or mood.

1. Le dije a Juan que
2. Para mí era muy difícil
3. Yo dudaba que ella
4. Después de muchos problemas, los muchachos
5. Me alegro de que Vd.

LA PARÁBOLA DEL JOVEN TUERTO

A story replete with irony, "La parábola del joven tuerto"
(1950) stresses basic shortcomings in both human nature and
society. In the first respect, the author depicts the tendency to
victimize the outcast or the handicapped. In social terms, he treats
with penetrating irony the type of religious belief which can accept
misery piled upon further misery as evidence of miraculous
blessing.

Rojas González employs an interesting structural device, the
derisive song of the boys, which is repeated many times. Each echo
underlines the misery of the "joven tuerto." The use of the term
"parable" in the title is itself ironic, since the ending, with its
tragic meaning, is hardly designed to convey a traditional moral
lesson.

La parábola
del joven tuerto

"... Y vivió feliz largos años." Tantos, como aquellos en que la gente no puso reparos en su falla.[1] Él mismo no había concedido mayor importancia a la oscuridad que le arrebataba media visión. Desde pequeñuelo se advirtió el defecto, pero con filosófica resignación habíase dicho: "Teniendo uno bueno, el 5 otro resultaba un lujo." Y fue así como se impuso el deber de no molestarse a sí mismo, al grado de que llegó a suponer que todos veían con la propia misericordia su tacha;[2] porque "teniendo uno bueno . . ."

Mas llegó un día infausto; fue aquél cuando se le ocurrió pasar 10 frente a la escuela, en el preciso momento en que los muchachos salían. Llevaba él su cara alta y el paso garboso, en una mano la cesta desbordante de frutas, verduras y legumbres destinadas a la vieja clientela.

"Ahí va el tuerto," dijo a sus espaldas una vocecita tipluda. 15
La frase rodó en medio del silencio. No hubo comentarios, ni risas, ni algazara . . . Era que acababa de hacerse un descubrimiento.[3]

"Ahí va el tuerto . . . el tuerto . . . tuerto," masculló durante todo el tiempo que tardó su recorrido de puerta en puerta de- 20 jando sus entregas.

1. **Tantos . . . falla** As many (*years*) as those in which people didn't object to his handicap.
2. **al . . . tacha** so that he came to suppose that everyone viewed his defect with personal pity.
3. **Era . . . descubrimiento** Because a discovery had just been made.

Tuerto, sí señor, él acabó por aceptarlo: en el fondo del espejo, trémulo entre sus manos, la impar pupila se clavaba sobre un cúmulo[4] que se interponía entre él y el sol . . . Sin embargo, bien podría ser que nadie diera valor al hallazgo del indiscreto escolar . . .[5] ¡Andaban tantos tuertos por el mundo! Ocurriósele entonces—imprudente—poner a prueba tan optimista suposición.

Así lo hizo.

Pero cuando pasó frente a la escuela, un peso terrible lo hizo bajar la cara y abatir el garbo del paso. Evitó un encuentro entre su ojo huérfano y los múltiples y burlones que lo siguieron tras de la cuchufleta:[6] "Adiós, media luz."

Detuvo la marcha y por primera vez miró como ven los tuertos; era la multitud infantil una mácula brillante en medio de la calle, algo sin perfiles, ni relieves, ni volumen. Entonces las risas y las burlas llegaron a sus oídos con acentos nuevos: empezaba a oír, como oyen los tuertos.

Desde entonces la vida se le hizo ingrata.

Los escolares dejaron el aula porque habían llegado las vacaciones: la muchachada se dispersó por el pueblo.

Para él la zona peligrosa se había diluido: ahora era como un manchón de aceite que se extendía por todas las calles, por todas las plazas . . . Ya el expediente de rehuir su paso por el portón del colegio no tenía valimiento: la desazón le salía al paso, desenfrenada, agresiva. Era la parvada de rapaces que a coro le gritaban:

Uno, dos, tres,

tuerto es . . .

O era el mocoso que tras del parapeto de una esquina lo increpaba: "Eh, tú, prende el otro farol . . ."[7]

Sus reacciones fueron evolucionando: el estupor se hizo

4. **la impar . . . cúmulo** the unequal pupil was fixed on a cloud.
5. **Sin . . . escolar** Nevertheless, it could well be that no one would pay attention to the discovery of the indiscreet schoolboy.
6. **cuchufleta** (*Mex.*) joke, ridicule.
7. **lo increpaba . . . farol** chided him: "Hey, you, light the other lantern . . ."

pesar, el pesar, vergüenza y la vergüenza rabia, porque la broma
la sentía como injuria y la gresca como provocación.

Con su estado de ánimo mudaron también sus actitudes, pero
sin perder aquel aspecto ridículo, aquel aire cómico que tanto
gustaba a los muchachos: 5

Uno, dos, tres,
tuerto es . . .

Y él no lloraba; se mordía los labios, berreaba, maldecía y
amenazaba con los puños apretados.
Mas la cantaleta era tozuda[8] y la voluntad caía en resultados 10
funestos.

Un día echó mano de piedras y las lanzó una a una con ende-
moniada puntería contra la valla de muchachos que le cerraban
el paso: la pandilla se dispersó entre carcajadas. Un nuevo mote
salió en esta ocasión: "Ojo de tirador." 15
Desde entonces no hubo distracción mejor para la caterva
que provocar al tuerto.

Claro que había que buscar remedio a los males. La madre
amante recurrió a la terapéutica de todas las comadres: cocimientos de renuevos de mezquite, lavatorios con agua de 20
malva, cataplasmas de vinagre aromático . . .[9]
Pero la porfía no encontraba dique:[10]

Uno, dos, tres,
tuerto es . . .

Pescó por una oreja al mentecato y, trémulo de sañas, le 25
apretó el cogote, hasta hacerlo escupir la lengua. Estaban en
las orillas del pueblo, sin testigos; ahí pudo erigirse la ven-
ganza, que ya surgía en espumarajos y quejidos . . .[11] Pero la

8. **Mas . . . tozuda** But the noisy derision persisted.
9. **cocimientos . . . aromático** concoctions of mesquite shoots, rinses with
solutions made from mallow, poultices made with fragrant vinegar.
10. **la porfía . . . dique** there was no restraining their stubbornness.
11. **pudo . . . quejidos** he could give form to his vengeance, which already
was flowing forth in foamings at the mouth and whines.

inopinada presencia de dos hombres vino a evitar aquello que ya palpitaba en el pecho del tuerto como un goce sublime. Fue a parar a la cárcel.

Se olvidaron los remedios de la comadrería para ir en busca de las recetas del médico. Vinieron entonces pomadas, colirios y emplastos, a cambio de transformar el cúmulo en espeso nimbo.[12]

El manchón de la inquina había invadido sitios imprevistos: un día, al pasar por el billar de los portales, un vago probó la eficacia de la chirigota:[13] "Adiós, ojo de tirador. . . ."

Y el resultado no se hizo esperar; una bofetada del ofendido determinó que el grandullón le hiciera pagar muy caro los arrestos . . .[14] Y el tuerto volvió aquel día a casa sangrante y maltrecho.

Buscó en el calor materno un poquito de paz y en el árnica alivio a los incontables chichones . . . La vieja acarició entre sus dedos la cabellera revuelta del hijo que sollozaba sobre sus piernas.

Entonces se pensó en buscar por otro camino ya no remedio a los males, sino tan sólo disimulo de la gente para aquella tara que les resultaba tan fastidiosa.

En falla de los medios humanos, ocurrieron al concurso de la divinidad: la madre prometió a la Virgen de San Juan de los Lagos llevar a su santuario al muchacho, quien sería portador de un ojo de plata, exvoto que dedicaban a cambio de templar la inclemencia del muchacherío.

Se acordó que él no volviese a salir a la calle; la madre lo sustituiría en el deber diario de surtir las frutas, las verduras y

---

12. **Vinieron . . . nimbo** Then came ointments, eyewashes, and poultices which resulted in changing the cloudiness to a thick nimbus.

13. **chirigota** (*Mex.*) joke, taunt.

14. **Y . . . arrestos** And the result was not long in coming; a slap in the face by the offended boy caused the bully to make him pay dearly for his daring.

las legumbres a los vecinos, actividad de la que dependía el
sustento de ambos.

Cuando todo estuvo listo para el viaje, confiaron las llaves de
la puerta de su chiribitil[15] a una vecina y, con el corazón lleno
y el bolso vano, emprendieron la caminata, con el designio de 5
llegar frente a los altares de la milagrería, precisamente por los
días de la feria.

Ya en el santuario, fueron una molécula de la muchedumbre.
Él se sorprendió de que nadie señalara su tacha; gozaba de
ver a la gente cara a cara, de transitar entre ella con desparpajo, 10
confianzudo, amparado en su insignificancia. La madre lo
animaba: "Es que el milagro ya empieza a obrar . . . ¡Alabada
sea la Virgen de San Juan . . . !"

Sin embargo, él no llegó a estar muy seguro del prodigio y
se conformaba tan sólo con disfrutar aquellos momentos de 15
ventura, empañados de cuando en cuando, por lo que, como un
eco remotísimo, solía llegar a sus oídos:

Uno, dos, tres,

tuerto es . . .

Entonces había en su rostro pliegues de pesar, sombras de 20
ira y resabios de suplicio.[16]

Fue la víspera del regreso; caía la tarde cuando las cofradías
y las peregrinaciones asistían a las ceremonias de "despedida."
Los danzantes desempedraban el atrio con su zapateo contundente; la musiquilla y los sonajeros hermanaban ruido y 25
melodía para elevarlos como el espíritu de una plegaria. El cielo
era un incendio; millares de cohetes reventaban en escándalo
de luz, al estallido de su vientre ahito de salitre y de pólvora.[17]

En aquel instante, él seguía, embobado, la trayectoria de un

15. **chiribitil** (*Mex.*)   shack.
16. **pliegues** . . . **suplicio**   lines of grief, shadows of rage, and the bitterness
of anguish.
17. **en** . . . **pólvora**   in a tumult of light, on the explosion of their insides
stuffed with saltpeter and gunpowder.

cohetón que arrastraba como cauda una gruesa varilla . . .
Simultáneamente al trueno, un florón de luces brotó en otro
lugar del firmamento; la única pupila buscó recreo en las poli-
cromías efímeras . . . De pronto él sintió un golpe tremendo en
su ojo sano . . . Siguieron la oscuridad, el dolor, los lamentos. 5
La multitud lo rodeó.

—La varilla de un cohetón ha dejado ciego a mi muchachito
—gritó la madre, quien imploró después—: Busquen un doctor,
en caridad de Dios.

Retornaban. La madre hacía de lazarillo. Iban los dos tre- 10
pando trabajosamente la pina falda de un cerro. Hubo de hacerse
un descanso. Él gimió y maldijo su suerte . . . Mas ella, acari-
ciándole la cara con sus dos manos le dijo:

—Ya sabía yo, hijito, que la Virgen de San Juan no nos iba a
negar un milagro . . . ¡Porque lo que ha hecho contigo es un 15
milagro patente!

Él puso una cara de estupefacción al escuchar aquellas
palabras.

—¿Milagro, madre? Pues no se lo agradezco; he perdido mi
ojo bueno en las puertas de su templo. 20

—Ése es el prodigio por el que debemos bendecirla: cuando
te vean en el pueblo, todos quedarán chasqueados y no van a
tener más remedio que buscarse otro tuerto de quien burlarse [18]
. . . Porque tú, hijo mío, ya no eres tuerto.

Él permaneció silencioso algunos instantes, el gesto de 25
amargura fue mudando lentamente hasta transformarse en una
sonrisa dulce, de ciego, que le iluminó toda la cara.

—¡Es verdad, madre, yo ya no soy tuerto . . . ! Volveremos
el año que entra; sí, volveremos al Santuario para agradecer las
mercedes a Nuestra Señora. 30

—Volveremos, hijo, con un par de ojos de plata. Y lentamente, prosiguieron su camino.

18. **no . . . burlarse** they'll have no choice but to find themselves another
one-eyed person to make fun of.

Exercises

A. QUESTIONS

1. ¿Por cuánto tiempo estuvo feliz el muchacho?
2. ¿Qué pasó cuando un día pasó frente a la escuela?
3. Después, ¿cómo fueron sus relaciones con los demás niños?
4. ¿Qué medidas tomó la madre para curar a su hijo?
5. Con los medios humanos agotados, ¿qué decidieron hacer?
6. ¿Cómo se sentía el muchacho entre la gente del santuario?
7. ¿En qué consistió la ceremonia de despedida?
8. ¿Qué ocurrió con el cohete?
9. ¿En qué condiciones retornaron a su pueblo?
10. ¿Por qué, según la madre, era un milagro el incidente del cohete?

B. VERB EXERCISE

Using the expressions in the right-hand column, give the Spanish for the English sentences listed directly opposite on the left.

1. (a) He wants to test his new theory. *poner a prueba*
   (b) He tested his religious beliefs during the war.

2. (a) Everything depends on his generosity. *depender de*
   (b) His theory depended on his interpretation of *Don Quijote*.

3. (a) He is surprised that they have arrived. *sorprenderse de que*
   (b) I was surprised that so many people came.

4. (a) My sister played the role of teacher and taught me the lesson. *hacer de (plus noun)*
   (b) She will serve as secretary while María is on vacation.

5. (a) All we can do is sell our car. *no tener más remedio que*
   (b) There was nothing for him to do but look for a job.

6. (a) The lesson turned out to be easy for me. *resultar*

    (b) Your idea proved to be fascinating for
        my students.

7. (a) He settled for borrowing the book.   *conformarse con*
   (b) She resigned herself to staying home
       all day.

8. (a) We always enjoy classical music.   *gozar de*
   (b) Did they enjoy their visit to the
       museum?

9. (a) Do the girls like popular music?   *gustar*
   (b) I have never liked long novels.

10. (a) He grabbed a stone and threw it at   *echar mano de*
     the car.
   (b) It's difficult to get hold of so much
     money.

C. DRILL ON NEW EXPRESSIONS

Translate the following sentences into Spanish, selecting from the expressions on the right the one corresponding to the italicized English words on the left.

1. *In exchange for* the book, he agreed to lend   *uno a uno*
   me his encyclopedia.
2. *For the first time* in his life, he saw snow.   *en busca de*
3. Don't call me—I'll call you *from time to*   *ambos*
   time.
4. *On the eve of* his return, he took sick.   *a cambio de*
5. *Suddenly* there was not enough gold in the   *claro que*
   bank.
6. We left *in search of* John's car.   *por primera vez*
7. The whole class *is ready* for the exam.   *la víspera de*
8. *One by one* the prisoners escaped from the   *de cuando en cuando*
   jail.
9. *Of course* she never told me.   *de pronto*
10. *Both* authors are difficult to understand.   *estar listo*

D. SENTENCE COMPLETION EXERCISE

Complete, in any way you see fit, the sentence fragments given below by selecting for each a suitable verb from among those listed in Exercise B, observing always the subject indicated here, and placing the new verb in an appropriate tense or mood.

1. Fuimos al mercado porque Juan
2. Yo dudo que ellas
3. ¿Por qué dijo Vd. que nosotros
4. Es posible que mi hermano
5. Nunca me di cuenta de que ella

NUESTRA SEÑORA DE NEQUETEJÉ

By contrast with "La tona," this story, dating from 1949, treats with sharp satire the motives and the understanding of those Mexicans who come into contact with the Indians. Once again humor comes into play, as the ending points up the pedantry of the social psychologist.

At the same time, the story affirms the tenacious insistence of the Indians upon developing and preserving their own variety of religiosity. The content of their spiritual beliefs may startle orthodox minds, such as those of the priest and the psychologist. But what the author seeks to underline is the depth and the authenticity of their religious experience.

Nuestra Señora[1]
de Nequetejé

El "test" de la psicoanalista nos interesó a todos. Ella había llevado a la expedición un álbum con reproducciones de obras maestras de la pintura. Ahí estaban, por ejemplo, la rolliza y saludable Lavinia de Ticiano;[2] el Napoleón de David[3] con el índice erecto, el gesto brioso y jinete en potro plateado; la Gioconda[4] de Leonardo de Vinci, sonriente al arcano; la Isabel de Valois, a quien Pantoja de la Cruz[5] colmó de prestigio y realeza en mueca y joyas; el "Hombre" visto por Theotocópuli;[6] el "Sollozo" de Siqueiros,[7] donde la mujer empuña el dolor en escalofriante actitud; el patético "Tata Jesucristo" de Goitia;[8] el "Zapata" de Diego,[9] santón bigotudo, baqueano de hambrientos y portaestandarte de causas albeantes como los calzones blancos y la blanca sonrisa de los indios; la "Trinchera", encrucijada de tragedia y nidal de maldiciones, en que José Clemente Orozco vació la intención en forma[10] y erigió la protesta en colores y, en fin . .

1. **Nuestra Señora** Our Lady.
2. **Ticiano** *Titian, a 16th-century Venetian painter.*
3. **David** *Jacques Louis, painter of the French Revolution and the Napoleonic era.*
4. **Gioconda** *"Mona Lisa."*
5. **Pantoja de la Cruz** *Sixteenth-century painter in the court of Philip II of Spain.*
6. **Theotocópuli** *El Greco, 16th-century Greek-Spanish painter.*
7. **Siqueiros** *David Alfaro, contemporary Mexican muralist.*
8. **Goitia** *Francisco, contemporary Mexican painter of social themes.*
9. **Diego** *Diego Rivera, contemporary Mexican painter. Famous, along with Orozco, Siqueiros and Rufino Tamayo, as founder of the revolutionary mural movement, Mexico's major contribution to modern art.*
10. **vació . . . forma** transformed conceptual intent into expression via form.

Los indígenas de aquel lugarejo —Nequetejé—, de aquella aldehuela perdida en las rugosidades de la Sierra Madre,[11] miraban y miraban con admiración callada las láminas que despertaban en ellos excelencias y calidades agazapadas entre el moho de sus afrentas y el humazo de sus recelos. La vista 5 punzante sobre los cromos y en las pupilas dilatadas por el pasmo, las gamas, los tonos y las formas reflejadas con la misma saña, con la misma furia con que el impacto estético había lesionado más los corazones que los cerebros . . .

Después del asombro, una reacción nueva que ya no era el 10 aturdimiento ni la maravilla, sino el estupor hierático, sordo, desconcertante.

Cuando la psicoanalista arrancaba de su arrobamiento a los sujetos, con preguntas tendientes a clarificar los enigmas, los indios no eran elocuentes: dos o tres monosílabos jalados con 15 trabajo, que denotaban evidentemente una predilección hacia la forma sobre el color, al que hacían —en su valoración de la obra de arte— preceder a la composición y al significado, los que, en todo caso, tomaban un sitio menor en sus apreciaciones, quizás por lejanía o tal vez por armonía de concepto . . . Pero 20 lo que resultaba inconcuso, era el interés que aquellas geniales máculas despertaban en los llamados "primitivos" por los antropólogos, "retrasados" según el concepto de los etnólogos, o "prelógicos" en opinión de nuestra gentil compañera de investigación, la freudiana psicoanalista. 25

Era de ver[12] cómo los padres llevaban en caravanas a los hijos, cómo los ancianos dirigían sus trémulos pasos hacia la escuelita rural en donde habíamos instalado nuestro laboratorio, cómo todos se echaban sobre el pupitre en el que descansaba el álbum y cómo cada estampa era recibida con emoción general 30 que hacía rumor y provocaba palpitaciones inocultables. Había en particular una lámina que incitaba la admiración colectiva:

11. **Sierra Madre** *Range of mountains in northern Mexico.*
12. **Era de ver** You should have seen.

"Ésa es la más chula" . . . "La más galana", solía escucharse cuando pasaba ante los ojos alucinados.

"Linda como ninguna," decían voces ensordecidas de timidez . . . Y la Gioconda acentuaba su mueca absurda de esfinge sonriente, elocuentemente indescifrable; luminosamente oscura. 5 "Es la más hermosa."

Ante la clara tendencia, la psicoanalista hacía un alto y entregaba la emoción de los indios a nuestro estupor . . . Era cuando ella, igual que Monna Lisa, sonreía, pero con una sonrisa inocua y transparente, sonrisa de triunfo, porque, según su ciencia y 10 su saber, había agarrado el cabo al complejo colectivo.

Ya en México visité un día a la psicoanalista; deseaba ardientemente conocer las conclusiones alcanzadas con el "test" de la pintura. Ella se mostró animosa y optimista, porque la prueba 15 había resultado convincente; los indios pames [13] admiraban la forma y gustaban del color, al tiempo que [14] desdeñaban las excelencias de la composición y no advertían, tal vez, el fondo del concepto creador . . .

Pero había algo que positivamente significaba una diversi- 20 ficación curiosa, una peculiaridad que no cabía en las estadísticas, que era imposible transformarla en guarismos e incrustarla entre las austeras columnas que formaban en los cuadros y en los estados; era algo que escapaba al método, que huía de la técnica en la misma forma en que un pensamiento resbala ante 25 un detector o una fragancia escurre frente al ojo de una cámara oscura. Era la admiración, el anonadamiento que la Gioconda produjo en el ánimo de los pames.

—Es positivamente extraño, porque ni es la más brillante en cuanto a color, ni es tampoco la más sugestiva en la forma. Lo 30 que los ha impresionado de la obra maestra de Leonardo es quizás su equilibrio, su serenidad . . . —me atreví a conjeturar.

---

13. **pames** *Indigenous group inhabiting an area of northern Mexico.*
14. **al tiempo que** at the same time that.

La psicoanalista sonrió ante mis empíricas estimaciones; había en su actitud un aire de compasión, un gesto de misericordia zaheridora, que me hicieron enmudecer. Entonces ella, frente a mi perplejidad, dio a luz su teoría.

—Se trata, amigo mío, de un estado neurótico colectivo . . . de una etapa bien definida dentro de la biogenética. Sí —reafirmó—: el primitivo, con su alma encapotada de misterio, ofrece sorpresas apasionantes . . . Su pensamiento es tenebroso para el resto de los demás, por contradictorio. El primitivo, como el niño, goza sufriendo, ama odiando y ríe gimiendo. Nuestros indios de Nequetejé no podrían escapar a la ley psicológica. El hombre bárbaro contemporáneo nuestro es un racimo de complejos; razona por simple análisis, porque carece del don de la síntesis, que es el patrimonio de las altas culturas. En este caso, han quedado hechizados —no es otra la palabra— por la imagen de la Gioconda. En ella se han visto como si el pueblo entero hubiese pasado, uno por uno, frente a un espejo. ¿No hay en el gesto indefinido, indeciso de Monna Lisa un soplo de arcano semejante al que palpita en una sonrisa de indio o en la mueca que antecede al llanto de un niño? ¿No advierte usted en la frente de la Gioconda la serenidad que campea en el rostro de los pames? ¿No le recuerda la amarillenta epidermis de ella el color de la carne de nuestros indios? ¿No es su tocado semejante al de las mujercitas de Nequetejé? ¿No son los paños que exornan la maravillosa creación semejantes al traje de gala que lucen las indias en días de fiesta? ¿No le recuerda el paisaje de fondo, roquerío bravo, al panorama yermo de la sierra pame?

—En verdad —contesté un poco desconcertado— todo eso me parece muy sugestivo, pero . . .

—Va usted a verlo, busquemos la reproducción y usted mismo comprobará lo dicho por mí.

Y los dedos finos y acicalados de la mujer se dieron a hojear el álbum en busca de la Gioconda. Pasó ante nuestros ojos una vez, dos veces, toda la colección de láminas sin que entre ellas apareciera la buscada.

La joven técnica clavó en los míos sus ojos llenos de sorpresa, al tiempo que me decía casi con entusiasmo:

—¡Ha desaparecido . . . ! ¡Se la han robado, ve usted! 5

—¿Pero está usted segura de que fueron los indios?

—Sí, absolutamente segura; nadie más que yo ha tocado el álbum desde nuestro regreso de Nequetejé. Yo misma no lo había hojeado después de la última prueba . . . No me cabe duda, ellos han sido [15] . . . Mire, para no estropear el cromo, han 10 tenido que remover los tornillos . . . ¡Oh, sí! a éste le falta una tuerquita, quizás no tuvieron tiempo de enroscarla . . .

—Es lamentable que se haya descompletado tan precioso "test" —dije yo neciamente.

—El hecho es elocuentísimo y, para alcanzarlo, daría yo una 15 docena de álbumes como éste . . . ¿No se da usted cuenta de que el robo confirma plenamente mi deducción de psicología colectiva?

Después, ignorándome, ella abrió un cuaderno y se enfrascó en un mar de anotaciones. 20

Un año más tarde hubo necesidad de hacer algunas enmiendas y verificar ciertos informes vagos para publicar el fruto de nuestras investigaciones; entonces volví a Nequetejé. Esta vez recibí albergue en la sacristía de la capilla. Ahí se me improvisó una alcoba incómoda, sórdida y fría. El capellán, recién llegado 25 también, era un viejecito amable y hospitalario, con el que desde el primer momento hice amistad. Me informó que hacía veinticinco años que los pames de la región no habían tenido párroco y que él se había echado a cuestas [16] la tarea de reorganizar la iglesia y sus servicios. 30

—Qué triste ha de ser, señor, vivir en tan apartado y solitario lugar —le dije.

15. **No . . . sido** There's no doubt in my mind, they were the ones.
16. **él cuestas** he had shouldered.

—El pastor, amigo mío —me contestó—, no mira al paisaje cuando el rebaño es grande y asustadizo.

Salí a la placita de la aldehuela para disfrutar unos instantes de la frescura bajo la sombra de los fresnos. Pronto mi presencia intranquilizó a la gente. Una anciana se llegó hasta mí y con voz 5 plañidera me dijo:

—Todos sabemos a lo que vienes, cuídate . . . [17]

Y sin esperar más, se marchó pasito a pasito. Sus pies, desnudos y entorpecidos, mejor que huellas hacían surcos sobre la faz del arenal.[18]   10

Luego fue un hombre adulto y mal encarado quien se acercó a mí; de su hombro izquierdo pendía un machete campero.

—Si te sales con la tuya,[19] pagarás con el pellejo —dijo con un acento ronco e inhábil.

—¿Pero de qué se trata? —pregunté.   15

—Sólo eso te digo . . . Si te encaprichas, no saldrás con vida de Nequetejé —agregó en tono determinante.

Después escupió grueso y se marchó.

A poco, grupitos pavorosos de tres o cuatro hombres me rodearon; en las puertas de los jacales las mujeres me veían 20 con ojos poco tranquilizadores. Me acerqué a una de ellas y, ante su insistencia en mirarme, le pregunté:

—¿Qué me ven?

—No más pa mirar, a qui'horas te lo mueres,[20] ladrón —contestó con una sonrisa aguda como la espina de un 25 maguey.

El crepúsculo irrumpía entre un bosque de gorjeos y de rumores. Sonó la primera llamada al rosario. Aproveché el instante en que la paz se cuajaba al conjuro de la esquila y me dirigí a la sacristía. En esos momentos, el capellán se calaba el sobrepelliz 30

17. **Todos . . . cuídate** Watch out, we all know why you have come.
18. **se marchó . . . arenal** she walked off leisurely. Her feet, bare and clumsy, left furrows rather than prints on the sandy ground.
19. **Si . . . tuya** If you get what you're after.
20. **No más . . . mueres** Just looking, to see when you're going to die.

percudido y echaba sobre su nuca la estola trasudada y raída.
Me sonrió al tiempo que comentaba:
—En estos andurriales, hasta los oficios eclesiásticos resultan
una distracción . . . ¿No es verdad, hijo mío?
Yo no respondí. Fui hacia el templo. Fragancias de copal y 5
mirra dieron contra mis narices; volutas de humo subían desde
los incensarios y braseros hasta la bóveda, que cubría a una multitud prosternada y en actitud de fe inenarrable. Media centena
de fieles de todas edades se asociaban en un culto común,
categórico, contagioso. La iglesia era paupérrima; muros 10
encalados, pisos de ladrillo poroso y revenido, ventanas apolilladas y vidrios estrellados; [21] presbiterio estrecho y deslucido
altar de yeso descascarado y tabernáculo humedecido y negro. Un
cristo moreno, menudito e indiado, pendía de una cruz forrada
con rosas de papel desteñido. El resto del templo desnudo, 15
gélido, miserable . . . menos un retablo enclavado en el crucero,
hacia la derecha. Ahí había un ascua parpadeante, solemne, que
nacía de velas y candilejas: el altarcillo exornado con un mantel
blanquísimo, bordado ricamente; esferas multicolores, ramos
de verdura y florecillas montaraces, y arriba, una imagen en- 20
marcada en un cuadro de recia madera de mezquite, del que
pendían manojos de exvotos de plata . . .
¡Pero qué veían mis ojos . . .! Sí, era ella, nuestra Gioconda,
la imagen robada del "test" de la psicoanalista. Sí, no cabía
duda, ahí estaba, deificada y otorgando mercedes a su grey, como 25
lo demostraba la argentina milagrería [22] que colgaba del ancho
marco y el fervor con que aquella gente se postraba a sus plantas.
Los fieles habían dado la espalda al cristo indiano para entregar
el rostro a la estampa florentina, de la que la mística se había
prendido [23] con increíble fortaleza. Contemplé breves instantes 30

21. **paupérrima . . . estrellados** poverty-stricken; white-washed walls, floors
of porous, rotting brick, moth-eaten windowframes and smashed panes.
22. **argentina milagrería** *Reference is to the numerous silver votive offerings hung
beneath the painting, petitioning miraculous cures.*
23. **de la que . . . prendido** on which their mystic tendencies had fastened.

aquel hecho, mas pronto me di cuenta del peligro que yo corría, cuando aquella pequeña multitud se diera cuenta de mi presencia y supusiera que venía a rescatar el cromo robado y llevarlo conmigo. Di media vuelta y torné a la sacristía. Cuando el capellán advirtió mi turbación, me habló del caso: 5
—Sí, amigo mío, es todo un acontecimiento pagano . . . Tanto como usted, conozco el origen del cromo. Cuando llegué a este pueblo ya lo encontré entronizado y en el acto traté de retirarlo de la iglesia, pero el intento se frustró frente a una oposición que llegó a tener características agresivas. La   10
llaman Nuestra Señora de Nequetejé y aseguran que es milagrosa como ninguna advocación de la Virgen Santísima; su culto se ha extendido entre los indígenas de muchas leguas a la redonda,[24] que vienen a verla en procesiones, en peregrinaciones nutridas y fervorosas; le cantan loas frente a su altar y ejecutan en honor   15
de ella danzas pintorescas. Sienten por el cromo devoción ciega que será muy difícil arrancarla de los corazones, a riesgo de que en el intento se lesione un sentido generalizado y por eso respetable. Ahora, débil de mí, soslayo el problema y me preparo para encauzar esa fe hacia la verdad, un día, cuando el Señor me   20
lo permita . . . Mientras tanto, los dejo en su inocente error. ¡Si hago mal, que Dios me lo perdone!
Dentro de la capilla había brotado un coro de alabanzas a la virgen pura e inmaculada. Monna Lisa, la casquivana, la jovial mujer del viejo Zanobi el Giocondo, sonreía a esta nueva aven-   25
tura, la más portentosa de su historia, más sublime que aquella en que el genio del de Vinci la iluminó con luces inmortales, más extraordinaria que su sonado rapto del Museo del Louvre . . .
Ahora, en Nequetejé, hacía milagros y le atribuían, con la virginidad, ser madre de Dios.   30

En el laboratorio de México, la investigación pretendía haber

---

24. **de muchas . . . redonda**   for many leagues around.

extractado en una cifra escueta, en un número muchas veces
menor que la unidad, toda la sustancia del hecho para ilustrar
con él una conclusión científica, que exhibiera ante propios y
extraños [25] el alma de los indios de México.

Mientras tanto, allá en Nequetejé, arden los cirios del fervor 5
y las lámparas alimentadas con la esencia de la esperanza. [26]

Exercises

A. QUESTIONS

1. ¿En qué consistió el "test" de la psicoanalista?
2. ¿Cómo fue la reacción de los indios?
3. ¿Cuál de las obras maestras les gustó más?
4. ¿A qué conclusiones llegó la psicoanalista?
5. ¿Cómo explicó ella la admiración producida por la Gioconda?
6. ¿Qué descubrió la psicoanalista al buscar la estampa de la Gioconda?
7. ¿Cómo recibieron los indios al narrador al verlo en la plaza un año más tarde?
8. Haga Vd. una breve descripción de la iglesia de los indios.
9. ¿Cómo habían tratado los indios a la Gioconda?
10. ¿Quedaron confirmadas las conclusiones de la psicoanalista?

B. VERB EXERCISE

Using the expressions in the right-hand column, give the Spanish for the English sentences listed on the left.

1. (a) The noise of the rain pulls me out of   *arrancar*
   my sleep.
   (b) The car started without any difficulty.
2. (a) The train will stop within two hours.   *hacer un alto*
   (b) After an hour, the president paused
   in his speech.

25. **ante ... extraños** for Mexicans and foreigners.
26. **arden ... esperanza** the candles burn with fervor and the lamps (burn) nourished by the essence of hope.

3. (a) It is difficult to escape from the law.   *escapar a*
   (b) I escaped from the policeman who was
       following me.

4. (a) The mathematician made known his   *dar a luz*
       new theory of numbers.
   (b) Professor Ruiz had brought forth a
       new method.

5. (a) Some countries are lacking the   *carecer de*
       information needed to organize their
       societies.
   (b) This country has always lacked
       scientific knowledge.

6. (a) To enjoy the sun, we will go   *disfrutar de*
       to the beach.
   (b) He died rich, without having benefited
       from his money.

7. (a) There's no doubt that she knows the   *no caber duda*
       answer.
   (b) There was no doubt that he spoke
       Spanish well.

8. (a) My friend turned his back on me and   *dar la espalda*
       left.
   (b) The people turned their backs on him,
       and he lost the election.

9. (a) The painting aroused the students'   *despertar interés*
       interest.
   (b) I think his book will awaken interest in
       the critics.

10. (a) I don't notice any change in her.   *advertir*
    (b) I noted that he was always reading poetry.

C. DRILL ON NEW EXPRESSIONS

*Translate the following sentences into Spanish, selecting from the expressions
on the right the one corresponding to the italicized English words on the left.*

1. Come and visit us even if it's late—*in any case*,   *mientras tanto*
   we'll wait for you.

2. *Perhaps* the best idea is to tell the truth.   *en el acto*
3. They arrived *just as* we were having breakfast.   *igual que*
4. She, *just like* John, studies too much.   *no . . . sino*
5. Sometimes he forgets his obligations; *for*   *sin que*
   example, when we go to a party.
6. Tell Alberto and *the others* to come.   *en todo caso*
7. *Meanwhile,* I was listening to the record.   *tal vez*
8. Enrique read the book *without* my knowing it.   *los demás*
9. I saw him enter, and *immediately* I tried to   *por ejemplo*
   follow.
10. The ideal teacher is *not* generous, *but*   *al tiempo que*
    intelligent.

D. SENTENCE COMPLETION EXERCISE

Complete, in any way you see fit, the sentence fragments given below by selecting for each a suitable verb from among those listed in Exercise B, observing always the subject indicated here, and placing the new verb in an appropriate tense or mood.

1. Yo no creía que él
2. Ese muchacho me dijo que Vd.
3. Antes de llegar a Buenos Aires, nosotros
4. Mi amigo me vio, pero yo
5. Después de comer, ellos

Manuel Rojas

(1896–)

The Two Countries
of Manuel Rojas

Manuel Rojas, author of short stories, novels, poetry, and essays, was born in Buenos Aires in 1896 of Chilean parents. After several trips with his family to Chile (once on foot across the Andes), he settled there in 1920, at which time he acquired the Chilean citizenship he holds today. He lives at present in Santiago, Chile, with his American wife, Julianne, whom he met in 1962 while teaching at the University of Washington.

Yet the author is, in some ways, as much *argentino* as he is *chileno*; the locale of his stories and novels is as likely to be Buenos Aires as Santiago or Valparaíso. By rights he is a citizen of the imaginary Republic of the Andes that straddles the *cordillera*. In this sense his story "Laguna," which takes place on the Andean mountain pass that unites Argentina and Chile, is precisely symbolic of the double vital heritage of Manuel Rojas.

Rojas is a tall man with strong and rugged features; his face seems carved out of that Andean rock that is the backdrop of many of his stories. He is largely self-made and self-educated. Since his early youth he has worked at a variety of trades; he has been at one time or another a house painter, laborer, electrician, watchman, linotypist, and theater prompter. More recently he has held the positions of Director of the National Press of Chile, Director of the Chilean National Library and professor in the School of Journalism. During the past decade he has taught occasionally at various North American Universities (Washington, Oregon, California) where he has been an inspiring teacher and has left a memorable impression on students and colleagues alike. American culture, in turn, has had a certain impact on the inquiring and always youthful mind of the Chilean novelist.

Rojas first became known as a writer of short stories with collections such as *Hombres del sur* (1926). He has come to be considered, today, in fact, as one of the finest *cuentistas* of Latin America. His stories deal mostly with the lower classes, with the common and uncommon people he has known in Chile and Argentina, the petty thieves, laborers, tradesmen, sailors of the *barrios bajos*. They are told with absolute simplicity and naturalness, and with the keen visual sense of a poet. His narratives seem to flow spontaneously, effortlessly, from a life that has been richly and widely lived. His stories are infused with a sense of the brotherhood of man, with a profound humanitarian compassion for apparently simple and ordinary people in whom he sees unique and valuable qualities. The experience he cherishes most, in these stories, is friendship between man and man, as in "Laguna," and love between man and woman, even when the man may be a thief, as in "Un ladrón y su mujer." Or he portrays solitude and suffering in a large modern city, a solitude made bearable by an almost anonymous and unexpected human contact and communication, as in "El vaso de leche." His compassion for fellow creatures, always present, is never sentimental; behind it we perceive a gentle irony that is not unworthy of Cervantes.

Rojas has never stopped writing short stories, but since the thirties he has shifted his attention largely to the novel, to the creation of a kind of novel that is at once Chilean, Latin American, and universal. After his initial effort in this field, *Lanchas en la bahía* (1932), there followed a long period of silence, and then in 1951 he published his first massive and bold experiment in the modern novel, *Hijo de ladrón*, a work which is now considered one of the finest of Latin American novels. In *Hijo de ladrón*, a work that reflects the narrative techniques of Joyce and Faulkner, the narrator follows the stream of his memory, normal or sequential time is broken up, and the characters are viewed from different levels of time and space. It is a first-person account of the life of Aniceto Hevia, from the time when, as an adolescent, he was falsely imprisoned in Buenos Aires, to his meeting with two vagabonds, Cristián and *El Filósofo*. With *Hijo de ladrón* (published in the United States in 1955 as *Born Guilty*), and subsequent novels, Rojas has attempted to incorporate the most recent artistic trends into the Chilean novel, without sacrificing the unique Latin American vision and experience. "It is important to note," wrote his compatriot Fernando Alegría, "that there is no novelist of his generation who shares with him the urgency to project himself toward a universal plane, and to express, from Chile, the fundamental anguish of the contemporary world." [1] That sense of compassion and fraternity among free men that his short stories so eloquently explored is now projected into the more vast and complex field of the modern novel, where the anguish and joys of contemporary man are more fully depicted. *Hijo de ladrón* was the first part of a trilogy; the second part, *Mejor que el vino*, appeared in 1958, and the third, *Sombras contra el muro*, in 1964. In *Hijo de ladrón* Aniceto Hevia discovers his own manhood in the company of friends and companions; in *Mejor que el vino* he encounters the joys, disappointments and fulfillment of carnal love. In another recent novel, *Punta de rieles* (1960), the author brings together two persons, a carpenter and a journalist, who confront each other from the abyss of their moral ruin. The carpenter relates aloud to the newspaperman how he has murdered his wife; the journalist, while listening, is compelled to recall his own life. Two histories of moral failure, one spoken, the other thought, are thus told concurrently. Each man, from the depths of his own

---

1. Fernando Alegría, *Las fronteras del realismo* (Santiago, Chile, 1962), p. 87.

sordid behavior, offers a helping, and perhaps redeeming, hand to the other.

The three stories here included are representative examples of the art of Manuel Rojas and of his world which is part fiction and part autobiography, in which the *roto*, the lower class urban Chilean, is viewed with compassion and love, through the perceptive eye of the artist.

J.P.

PRINCIPAL WORKS

Hombres del sur, 1926 (STORIES)

Lanchas en la bahía, 1932 (NOVEL)

El bonete maulino, 1943 (STORIES)

Hijo de ladrón, 1951 (NOVEL)

Mejor que el vino, 1958 (NOVEL)

Punta de rieles, 1960 (NOVEL)

Cuentos del sur y Diario de México, 1963 (STORIES)

Sombras contra el muro, 1964 (NOVEL)

LAGUNA

"Laguna" is above all a portrait of the small, vital, infectiously funny personage named in the title, the pobre roto fatal, *who, in spite of his humor, conscious and unconscious, consistently draws calamity upon himself. The reader will not easily forget this half-joyous, half-pathetic, intense, warm, and tragic member of a class of humanity that is seldom portrayed in literature. He is a unique individual; the author is not interested in using him as a symbol or a vehicle for social criticism. The story is also a perfect example of the* compañerismo *seen in Rojas' fiction, the solidarity or companionship among humble men and boys that redeems suffering. With his great power of observation, his capacity for* seeing *and re-creating in prose, Rojas also paints, in "Laguna," a compelling picture of the region of the Andes near Mendoza, between Chile and Argentina—specifically, the mountain pass known as Las Cuevas where most of the action takes place.*

Laguna

De aquella época de mi vida, ningún recuerdo se destaca tan nítidamente en mi memoria y con tantos relieves como el de aquel hombre que encontré en mis correrías por el mundo, mientras hacía mi aprendizaje de hombre.

Hace ya muchos años. Al terminar febrero, había vuelto del campo donde trabajaba en la cosecha de la uva. Vivía en Mendoza.[1] Como mis recursos dependían de mi trabajo y éste me faltaba, me dediqué a buscarlo. Con un chileno que volvía conmigo, recorrimos las obras en construcción, ofreciéndonos como peones. Pero nos rechazaban en todas partes. Por fin alguien nos dio la noticia de que un inglés andaba contratando[2] gente para llevarla a Las Cuevas,[3] en donde estaban levantando unos túneles. Fuimos. Mi compañero fue aceptado en seguida. Yo, en ese entonces,[4] era un muchacho de diecisiete años, alto, esmirriado, y con aspecto de débil, lo cual no agradó mucho al inglés. Me miró de arriba abajo[5] y me preguntó:

—¿Usted es bueno para trabajar?

—Sí—le respondí—. Soy chileno.

---

1. **Mendoza**   *An important and historical city in Argentina, located in the eastern foothills of the Andes.*
2. **andaba contratando**   was hiring.
3. **Las Cuevas**   *Small village in the Andes, in the province of Mendoza, on the border between Argentina and Chile.*
4. **en ese entonces**   at that time.
5. **de arriba abajo**   up and down.

—¿Chileno? Aceptado.

El chileno tiene, especialmente entre la gente de trabajo, fama de trabajador sufrido y esforzado y yo usaba esta nacionalidad en esos casos. Además, mi continuo trato con ellos y mi descendencia de esa raza me daban el tono de voz y las maneras de tal.

Así fue cómo una mañana, embarcados en un vagón de tren de carga,[6] hacinados como animales, partimos de Mendoza en dirección a la cordillera. Éramos, entre todos, como unos treinta hombres, si es que yo podía considerarme como tal, lo cual no dejaba de ser una pretensión.[7]

Había varios andaluces, muy parlanchines; unos cuantos austríacos, muy silenciosos; dos venecianos, con hermosos ojos azules y barbas rubias; unos pocos argentinos y varios chilenos.

Entre estos últimos estaba Laguna. Era un hombre delgado, con las piernas brevemente arqueadas, el cuerpo un poco inclinado, bigote lacio de color que pretendía ser rubio, pero que se conformaba modestamente con ser castaño. Su cara recordaba inmediatamente a un roedor: el ratón.

Le ofrecí cigarrillos y esto me predispuso a su favor. Me preguntó mi edad y al decírsela movió la cabeza y suspiró:

—¿Diecisiete años? Un montoncito así de vida.

Y señalaba con el pulgar y el índice una porción pequeña e imaginable de lo que él llamaba vida.

Usaba alpargatas y sus gruesas medias blancas subían hacia arriba aprisionando la parte baja del pantalón. Una gorra y un traje claro, muy delgado, completaban su vestimenta que, como se ve, no podía ser confundida con la de ningún elegante. A la hora del almuerzo compartí con él mi pequeña provisión y esto acabó de atraerlo hacia mí. Más decidor ya, por efecto de la comida, me contó algo de su vida; una vida extraña y maravillosa,

6. **embarcados . . . carga** having boarded a freight train.
7. **lo cual . . . pretensión** which was rather presumptuous of me.

llena de vicisitudes y de pequeñas desgracias que se sucedían sin interrupción. Hablando con él, observé esta rara manía o costumbre: Laguna no tenía nunca quietas sus piernas. Las movía constantemente. Ya jugaba con los pies cambiando de sitio o posición una maderita o un trocito de papel que hubiera en el suelo; ya las movía como marcando el paso con los talones;[8] ya las juntaba, las separaba, las cruzaba o las descruzaba con una continuidad que mareaba. Yo supuse que esto provendría de sus costumbres de vagabundo, suposición un tanto antojadiza, pero yo necesitaba clasificar este rasgo de mi nuevo amigo. Su cara era tan movible como sus piernas. Sus arrugas cambiaban de sitio vertiginosamente. A veces no podía yo localizar fijamente a una. Y sus pequeños ojos controlaban todo este movimiento con rápidos parpadeos que me desconcertaban.

—¿De dónde es usted, Laguna?

(¿Por qué se llamaría Laguna? ¿Sería un mote o un nombre? Nunca lo supe.)

Contestóme:

—Soy chileno; de Santiago.[9] Pura araucanía.[10]

Parecía tener el orgullo de su raza y seguramente decía aquella última frase para significar que era un chileno de pura sangre araucana.

En el tren intimamos mucho. Los demás no me llamaban la atención.[11] Laguna era una fuente inagotable de anécdotas y frases graciosas. Mi juventud se sentía atraída por este hombre de treinta y cinco años, charlador inagotable, cuya vida era para mi adolescencia como una canción fuerte y heroica que me deslumbraba. Su tema favorito era su mala suerte:

—Yo soy roto[12] muy fatal, hermano. Usted se morirá de

8. **marcando ... talones** keeping time with his feet.
9. **Santiago** *Capital of the Republic of Chile.*
10. **Pura araucanía** *Pure Araucanian. The* **araucanos** *were the original Indian inhabitants of Chile.*
11. **Los demás ... atención** The others didn't interest me.
12. **roto** *In Chile, a city dweller of the lower class.*

viejito, le saldrá patilla hasta para hacerse una trenza y nunca
encontrará un hombre tan desgraciado como yo.[13]

El dolor de su vida, en lugar de entristecerme, me alegraba.
Contaba sus desgracias con tal profusión de muecas e inter-
jecciones, que yo me reía a gritos. Se paraba un instante, se ₅
ponía serio y me decía:

—No se ría de la desgracia ajena; eso es malo.

Y seguía contando. En las partes que él consideraba trágicas
o patéticas, sus ojos se cerraban y sus orejas, largas y trans-
parentes, parecían trasladarse hacia la nuca. ₁₀

—Y entonces, cuando gritaron: ¡cuidado, que vamos a largar!,
yo me hice a un lado,[14] el poste cayó, una piedra saltó y me
rompió la cabeza.

Sus arrugas tornaban a su posición normal, sus ojos se abrían,
las orejas volvían al sitio predilecto y me miraba para ver qué ₁₅
impresión hacía en mí su relato.

—¡Ja, ja, ja! ¡Qué Laguna![15]

Y toda la peonada hacía coro a mis risas.

Al anochecer del mismo día llegamos a Las Cuevas. Yo
conocía la cordillera por haberla atravesado dos veces en mi ₂₀
niñez, pero de ella no guardaba más recuerdo que el de una mu-
lita muy suave, un arriero que me cuidaba, de un coche que
rodaba entre dos murallas de nieve y de mi madre, este último
más patente que los otros.[16] Por lo tanto,[17] el espectáculo era
nuevo para mí. Una sensación inmensa de pequeñez sobrecogió ₂₅
mi espíritu, cuando, al descender del tren, mi vista recorrió ese
inmenso anfiteatro de montañas. El cielo me parecía más lejano

13. **Usted . . . yo** You will die of old age, will grow sideburns long enough
to braid, and you'll never meet a man as unfortunate as I am.
14. **yo . . . lado** I moved to one side.
15. **¡Qué Laguna!** What a fellow! What a character!
16. **este último . . . otros** this one clearer than the others.
17. **Por lo tanto** Therefore.

que nunca. Ni un árbol. Aridez absoluta en todo lo que veía. Rocas que se erguían, crestas rojas o azules, manchones de nieve, soledad, silencio. El tren se perdía como un gusano, entre las moles, ridículo de pequeño. Y los hombres parecíamos más pegados al suelo que en ninguna parte.

Como no nos esperaban con alojamiento preparado en el hotel, tuvimos que proceder inmediatamente al levantamiento de las carpas que nos servirían de habitación. A cinco chilenos, entre los cuales estaba Laguna, nos dieron una. La paramos en medio de maldiciones y juramentos. Corría un viento fuerte que azotaba la tela y la hacía hincharse como una vela. Cuando ya la teníamos casi armada, el viento la tumbaba. Laguna cogía su gorra, la tiraba al suelo, zapateaba un poco sobre ella, luego se tomaba la cabeza con ambas manos y levantando al cielo su cara, exclamaba:

—¡Por Diosito, Señor![18]

Esta parecía ser su exclamación favorita.

Por fin la carpa quedó en estado de habitarla y nos repartimos el pedazo de terreno, sembrado de piedras del tamaño de un puño, que utilizaríamos a modo de blanda cama. Extendimos nuestras ropas en el suelo. Laguna nos miraba hacer. Alguien preguntó: —¿En qué irá a dormir Laguna?

Este lo miró y bajó la cabeza avergonzado. Nada que denunciara la presencia de una prenda de vestir o de cama había en su equipaje, que llevaba envuelto en un pañuelo.

Cuando nos acostamos, Laguna estuvo un momento parado, con expresión de hombre indeciso; conversaba y fumaba. Luego se decidió y sin hacer ningún preparativo se tendió en el desnudo suelo, al lado mío. Yo quise ofrecerle mi cama, pero el temor de avergonzarlo me hizo desistir. Se apagó la luz. Con los ojos abiertos en la sombra, tendido de espaldas en mi lecho, conversé un momento con él. A la luz de su cigarro veía a intervalos su nariz aguileña y su bigote lacio. Después, insen-

---

18. ¡**Por Diosito, Señor!**   For Heaven's sake, Lord!

siblemente me quedé dormido. Desperté al cabo de unas horas y mientras orientaba mi pensamiento escuché los ruidos de la noche. Afuera el viento, muy frío, parecía aullar como un animal aguijoneado. El rumor del río aumentaba con su rodar de piedras aquel grito prolongado del viento. La carpa crujía 5 violentamente. En medio de toda aquella sinfonía salvaje percibí un sonido humano. Pensé que alguien rondaba, tal vez perdido, alrededor de la carpa e incorporándome en la cama escuché con atención. Pero no era afuera. Era al lado mío. Laguna, dormido, seguramente helado de frío, castañeteaba los dientes 10 y se quejaba.

—Laguna . . .

No me contestó.

—Laguna.

Silencio. 15

—Laguna.

—¡Ah!

—¿Qué le pasa?

—Tengo frío, hermanito.

—Acuéstese aquí. 20

—No, gracias.

—Venga, hombre.

Se levantó y empezó a desnudarse. De repente oí un sollozo y Laguna lo comentó diciendo:

—Yo soy roto muy fatal. 25

Después, como un perro, buscó la cama y se acurrucó entre las ropas, tiritando.

— Hermanito . . .

—¿Qué quiere?

—Muchas gracias. 30

No contesté. Laguna suspiró, se movió un poco, se encogió, seguramente hizo una de sus muecas acostumbradas y por fin se durmió. Yo escuché un momento su respiración, cortada a trechos por suspiros, y luego me dormí.

Al otro día empezó el trabajo. Se trataba de hacer túneles para resguardar la línea de las nevazones y los pequeños rodados. El trabajo era fuerte, pero como el frío también lo era, ambos se neutralizaban con gran alegría nuestra y satisfacción del inglés. A los diez días de estar allí, nuestros rostros habían cambiado 5 completamente. El frío quemaba la piel, la rajaba; la cara se despellejaba, las pestañas caían quemadas también y a todo este trabajo de destrucción y transformación contribuía el hecho de que nadie se lavara la cara sino los domingos. El agua era tan helada que nadie se animaba a hacerlo. Solamente los días de 10 descanso se calentaba agua y se procedía a una limpieza, minuciosa por parte de unos, somera por la de otros. Además, nuestras ropas viejas y sucias, los ponchos obscuros y las barbas crecidas, aumentaban el cambio, haciéndonos aparecer, a los ojos de cualquier viajero erudito, como descendientes directos de una 15 familia de trogloditas.

A los quince días de estar ahí le sucedió la primera desgracia a Laguna, si es que desgracia puede llamarse lo que voy a narrar. Él ya lo extrañaba; me decía:

—¿No le parece raro que no me haya pasado nada? 20 Y arrugaba la nariz.

Fue un día jueves. El día anterior había nevado y el frío era intenso. Trabajábamos en una zorra y Laguna era el "bandera". Su trabajo consistía en ir adelante de nosotros, a distancia de una cuadra, llevando una bandera roja con la cual nos anunciaba 25 la proximidad del tren.

Veníamos con una carga de madera. Cuando llegamos al sitio en que debíamos descargar, vimos que Laguna estaba sentado detrás de un peñasco y bien arrebujado en su poncho. Silbaba monótonamente: 30

—Fi..., fi..., fiiii...

Le dijimos algunas bromas y empezamos a descargar. En los

ratos que descansábamos, Laguna nos advertía su presencia con
el fi fi de su silbido. Corría un vientecillo que cortaba las carnes.
De repente Laguna dejó de silbar. No paramos en ello la atención
y cuando terminamos uno gritó:
—¡Ya, Laguna, vamos!   5
Pero Laguna no contestó.
—¿Se habrá quedado dormido? Vamos a darle una broma.
Uno de los compañeros fue sigilosamente hacia él. Cuando
estuvo delante, levantó el poncho como para pegarle. De pronto
se inclinó, miró fijamente a Laguna y alzando los brazos gritó: 10
—¡Muchachos, vengan!
Corrimos. Cuando llegamos, Laguna, con la cabeza inclinada
sobre un hombro, sonreía dulcemente como si soñara. Se estaba
helando. Lo levantamos violentamente y mientras uno lo
sujetaba, descargamos sobre él una verdadera lluvia de pon-   15
chazos, pellizcones, bofetadas y creo que hasta puntapiés. Al
cabo de un rato abrió los ojos y nos miró atontado. Le refregamos
la cara con nieve y le seguimos pegando. De pronto gritó:
—¡Ya está bueno! ¡Ya está bueno!¹⁹
Y salió corriendo. Como un caballo que ha estado largo   20
tiempo atado, Laguna daba saltos, tiraba puntapiés, se revolcaba
en el suelo, lanzaba fuertes puñetazos, hacía mil contorsiones y,
por último, variando el ejercicio, cantó, mientras se acompañaba
de un furioso zapateo:

> Suspirando te llamé   25
> y a mi llamado no vienes;
> como me ves sin trabajo
> te haces sorda y no me entiendes.

Hasta que cayó al suelo, jadeando como una bestia.

Mientras tanto, el trabajo adelantaba rápidamente. Ya en   30
algunos sitios la vía estaba cubierta por los túneles. Se hacían

19. **¡Ya está bueno! ¡Ya está bueno!**   All right now! That's enough!

hoyos en el suelo, se metían en ellos enormes postes, éstos se
juntaban por medio de una trabazón de madera y luego todo se
revestía de planchas de zinc. Como el terreno era pedregoso,
muchas veces en los hoyos se encontraban gruesos peñascos
que era necesario partir con dinamita. Todos los días, a la hora ₅
del almuerzo o de la comida, fuertes detonaciones rajaban el
silencio de la cordillera. Los estampidos resonaban contra los
cerros más cercanos y éstos devolvían un eco que chocaba en
otros, sucesivamente, hasta convertirlos en un trueno prolongado y profundo.   10
A consecuencia del accidente anterior, la movilidad de
Laguna se acrecentó extraordinariamente. El miedo a helarse
nuevamente lo hacía andar en un perpetuo entrenamiento físico.
Saltaba, corría, bailaba y zapateaba.
¡Pobre Laguna! Verdaderamente, era fatal. Un día cayó un 15
poste; todos corrieron, Laguna más que nadie; pero, al ir
corriendo y mirar hacia atrás, tropezó en un durmiente de la
vía y el filo de otro casi le quebró una pierna. Otro día lo llevaron
preso sin causa alguna y lo tuvieron todo el día haciendo un
camino en la nieve, entre el cuartel y la estación, en medio de 20
un fuerte frío. Parece que esto era un recurso de que se valían
los guardias cada vez que la nieve tapaba el camino.
Después los acontecimientos se precipitaron y la fatalidad
se apretujó más sobre su cabeza de roedor.
Andábamos trabajando en la zorra y volvíamos de Las Cuevas 25
con una carga de ochenta planchas de zinc que pesaban once
kilos cada una. Como de la estación al campamento la vía tenía
un profundo declive, largamos los frenos y la zorra se precipitó
velozmente hacia abajo. Con el impulso que traía, ayudado por
la pesada carga y por la pendiente de la línea, el vehículo se 30
cargó. Agarró tal velocidad, que un poco más allá del puente
del río los postes y las rocas pasaban ante nuestra vista con tal
continuidad, que parecía que entre ellos no había ninguna
distancia. Cuando quisimos frenar, la zorra no obedeció y de

esa manera pasamos por el campamento en una carrera trágica.
Yo iba en el freno delantero y Laguna en el de atrás. Ya la
peonada corría detrás nuestro, gritando:

—¡Tírense! ¡Tírense!

Uno gritó:

—¡Hay que tirarse!

Se envolvió la cabeza con el poncho y saltó. Dio una vuelta
en el aire [20] y luego pareció hundirse en el suelo. Otro de los
peones cayó de lado y quedó inmóvil. El tercero quedó parado
después de describir un círculo que habría causado admiración
a cualquier geómetra. Yo tiré mi poncho y luego me arrojé de
espaldas al vacío. Caí de bruces. [21] Cuando levanté la cabeza, la
zorra iba a una cuadra de distancia. Laguna iba parado en el
freno; su poncho obscuro se agitaba a impulsos del viento como
una bandera de muerte. La boca de un túnel pareció tragarse al
hombre y al vehículo, que después de un instante reaparecieron
por el otro lado. Todos corríamos detrás. De repente, el freno
resbaló, Laguna vaciló y por un segundo sus manos arañaron el
vacío. Luego cayó de boca. A los treinta metros, en una violenta
curva de la vía, la zorra saltó y las planchas de zinc se clavaron
en los postes. Cuando llegamos, Laguna yacía a un costado de
la línea. Había caído sobre la cremallera y del golpe se le
saltaron casi todos los dientes. Después rebotó y cayó en una
acequia, en cuyo filo se hizo dos heridas en la cabeza. Tenía la
cara llena de sangre y respiraba quejumbrosamente. Al otro día
se lo llevaron al hospital.

A los pocos días, antes de terminarse los trabajos del túnel,
yo bajé a Mendoza. Había sido hablado para invernar, [22] como
peón, en una estación situada entre Las Cuevas y Puente del
Inca, y necesitaba comprar ropas de invierno. Cuando quise

20. **Dio . . . aire**   He made a turn in the air.
21. **Caí de bruces**   I fell headlong to the ground.
22. **Había . . . invernar**   I had agreed to spend the winter.

volver, la Compañía me negó el pasaje por no presentar una autorización del jefe o del capataz. Como mi ropa había quedado allá, resolví regresar a pie. Me uní con dos anarquistas chilenos que regresaban a su tierra y emprendimos el viaje, saliendo de Mendoza una noche de abril. Después de tres días de viaje, 5 llegamos al campamento y allí me encontré con Laguna, que ya había vuelto del hospital. Estaba visiblemente cambiado. La cara se le había hecho más pequeña,[23] tenía la boca hundida a causa de la falta de los dientes, y toda su persona parecía estar inclinada bajo un peso invisible. Me llamó a su lado y me dijo 10 casi llorando:

—Hermano, vámonos a Chile. Siento que si me quedo aquí me voy a morir.

Lo pensé y me decidí. Le dije que sí. Se alegró tanto que me dio un abrazo. Esperamos la noche para salir. De día era peli- 15 groso pasar porque había nevado y el camino del cuartel a la estación estaba tapado. Los peones nos dieron carne, queso, charqui y café. A unos arrieros que venían de Chile les preguntamos si el tiempo era bueno en la cordillera y nos contestaron que el viento que corría no era fuerte y que la nieve caída 20 era muy poca.

A las nueve, después de efusivas despedidas, partimos los cuatro: Laguna, los dos anarquistas y yo.

Había nevado bastante y el camino estaba tapado. Nos orientamos por las luces de la estación. Atravesamos un pequeño 25 puente y empezamos a buscar el camino ancho. A las dos cuadras nos perdimos. Por fin, después de varias vueltas, encontramos la buena ruta y empezamos a subir. A los mil metros de altura empezó a nevar fuertemente. La noche era obscurísima. Caminábamos un trecho y descansábamos. El peso de nuestra 30 ropa, que llevábamos a la espalda, nos fatigaba un poco. No hablábamos. Laguna iba adelante con la cabeza gacha y sil-

---

23. **La cara ... pequeña** His face had become smaller.

bando despacito. De vez en cuando, con un dulce dejo de pena,
cantaba:

> Dos corazones tengo
> para quererte;
> uno tengo de vida 5
> y otro de muerte.

De repente se detuvo y nos dijo:

—Oigan.

Escuchamos. Un ruido profundo y sostenido llegó hasta nosotros. De pronto el ruido se trocó en un clamor casi humano. 10
Parecía que una garganta enorme, de voz ronca, gritaba en la
cumbre.

Laguna dijo:

—Es el viento.

Él era.[24] Llegaba loco, furioso, estruendosamente. Después 15
de un momento, el clamor subió a rugido[25] y éste se multiplicó
en todos los tonos. Golpeaba en las rocas, saltaba de quebrada
en quebrada, se azotaba contra un cerro y rebotaba en otro.
Parecía que un ejército de leones bajaba rugiendo hacia el llano.
Era horrible y hermoso. 20

Como íbamos a favor de un cerro,[26] no lo sentíamos en
nuestros cuerpos, pero, al dar vuelta el camino,[27] el viento nos
detuvo como una mano poderosa. Daban ganas de gritar y de
llorar.[28] La sangre zumbaba bajo la impresión de este emocionante e invisible espectáculo. El viento subía rabiosamente desde 25
el lado chileno, llegaba a la cumbre y se derrumbaba[29] podero-
samente hacia el llano argentino.

Nos detuvimos a conferenciar. Hablábamos en voz baja,
como temiendo que el viento nos oyera. Volver era peligroso.

---

24. **Él era** It was (*the wind*).
25. **clamor ... rugido** the sound became a roar.
26. **Como íbamos ... cerro** Since we were protected by a hill.
27. **al dar ... camino** when the road turned.
28. **Daban ganas ... llorar** We felt like shouting and crying.
29. **se derrumbaba** rushed headlong.

Nos exponíamos a que el viento nos cogiera de espaldas y nos lanzara cerro abajo, como a las mulas cargadas. Decidimos seguir. Y nos lanzamos al camino. A los pocos pasos nos detuvimos, ahogados. La fuerza del viento era tal, que nos impedía arrojar el aire absorbido en la respiración. Laguna gritó: 5
—¡Tápense la boca con un pañuelo!
Seguimos su consejo y pudimos respirar. Caminábamos de lado para ofrecer menos blanco al viento. A los tres mil ochocientos metros [30] nos detuvimos indecisos. Un pequeño rodado había tapado el camino,[31] y en lugar de la línea recta de éste, 10
sólo se veía una blanca raya oblicua que bajaba vertiginosamente hacia la quebrada. La nieve, endurecida, era resbaladiza como jabón.
—Hasta aquí llegamos.
¿Cómo pasar? No traímos ni un miserable palo con que 15
ayudarnos. Uno de los anarquistas, llamado Luis, dijo:
—Es preciso pasar.
Sacó un largo cuchillo y se lanzó sobre aquella raya, en cuyo fin la muerte abría la boca enorme de la quebrada.[32]
Inclinados bajo el viento, lo miramos pasar. Clavaba el 20
cuchillo, agarrado a éste daba un paso,[33] se tendía en la nieve, sacaba el cuchillo, lo clavaba, daba otro paso y poco a poco se alejaba de nosotros. De repente resbaló y rodó un metro. Lanzamos un grito. El hombre quedó un momento inmóvil y luego empezó a subir, arrastrándose, hasta que logró asirse 25
del cuchillo que había quedado clavado. Demoró veinte minutos en atravesar los ochenta metros del rodado.[34]
Después pasé yo. Nunca, como en aquel momento, me he

30. **A los tres . . . metros** at an altitude of 3,800 meters, *or* approximately 12,500 feet. *One meter equals 3.28 feet.*
31. **Un pequeño . . . camino** A small snowslide had covered the road.
32. **Sacó . . . quebrada** He took out a long knife and hurled himself at that line, at whose end death, in the form of a ravine, opened its immense mouth.
33. **agarrado . . . paso** holding onto it he took a step.
34. **rodado** slope, snowslide.

sentido más cerca de la muerte. Apretados los dientes, hincando con todas mis fuerzas los zapatos en la nieve, buscando en la sombra los hoyos abiertos por el cuchillo del anarquista, atravesé aquel camino angustioso. Caer era rodar mil o dos mil metros hasta quedar convertido en una cosa sin nombre. Cuando llegué 5 al camino, permanecí un momento desorientado y luego me lancé a correr hacia la casilla del Cristo Redentor. Allí estaba Luis. Con fósforos hicimos arder papeles y nos calentamos las entumecidas manos.

—¿Y los otros? 10
—Ya vienen.

Esperamos un largo rato y no aparecieron.

—¿Se habrán perdido? Vamos a buscarlos.

Salimos y gritamos.

—Si han seguido hacia adelante es inútil gritar. El viento nos 15 devuelve los gritos.

Recorrimos los alrededores[35] y de pronto oímos una voz que llamaba a lo lejos.[36] Buscamos al que gritaba y encontramos al otro anarquista, abrazado a un poste de los que marcan los límites de Chile y Argentina. Lo levantamos y lo sacudimos un 20 poco hasta que se repuso.

—¿Y Laguna?

— No sé; cuando yo llegué a este lado del rodado, él empezaba a atravesarlo.

—Habrá seguido.[37] 25
—No, no ha seguido. Debe haberse perdido.

Una enorme angustia me subió del corazón a la garganta y corrí como un loco, gritando:

—¡Laguna! ¡Hermanito!

Pero el viento me devolvía sarcásticamente los gritos. 30

---

35. **los alrededores** the surrounding area.
36. **a lo lejos** in the distance.
37. **Habrá seguido** He must have continued on.

Al otro día, mientras bajábamos, busqué por todas partes los
rastros de Laguna. Pero seguramente la nieve había tapado sus
huellas, porque ni en el camino, ni en las quebradas, ni en ninguna parte la marca de un pie o de un cuerpo quebraba la
armoniosa tersura de aquella inmensa sábana, bajo la cual, 5
seguramente, Laguna dormía su último sueño.
—¡Pobre roto fatal!

Exercises

A. QUESTIONS

1. ¿Qué recuerdo se destaca en la memoria del autor?
2. ¿Por qué buscó trabajo, y dónde lo encontró?
3. ¿Por qué lo aceptó el inglés?
4. ¿Era chileno el autor?
5. ¿Hacia dónde partieron en el vagón del tren, y qué personas
   había?
6. ¿Cómo era Laguna, y cómo había sido su vida?
7. ¿A qué raza pertenecía Laguna?
8. ¿Cuándo había conocido el autor la cordillera, y qué recuerdos
   guardaba?
9. ¿Dónde iban a dormir los trabajadores?
10. ¿Por qué era difícil levantar la carpa?
11. Describa lo que ocurrió en la carpa cuando los hombres se
    acostaron.
12. ¿Cuándo le ocurrió la primera desgracia a Laguna?
13. Describa el accidente de la zorra que bajó la pendiente sin que
    pudieran frenarla.
14. Después de su viaje a Mendoza, ¿adónde decidió ir el autor?
15. ¿Dónde dormía Laguna su último sueño?

B. VERB EXERCISE

*Using the expressions in the right-hand column, give the Spanish for the
English sentences listed on the left.*

1. (a) His house stood out among the others.   *destacarse*

    (b) Will Mr. García excel in his studies?

2. (a) Has Robert returned yet?   *volver*
    (b) We will come back tomorrow.

3. (a) She devoted herself to caring for the ill.   *dedicarse a*
    (b) Will he dedicate himself to his work?

4. (a) He kept time with his foot.   *marcar el paso*
    (b) They don't know how to keep time.

5. (a) I didn't notice her.   *llamar la atención*
    (b) He didn't attract attention.

6. (a) He became furious.   *ponerse*
    (b) The room will get cold in the evening.

7. (a) He rushed out to the street.   *lanzarse a*
    (b) Juan hurried to the battle.

8. (a) You'll see how they echo all your   *hacer coro a*
    opinions.
    (b) The children echoed his laughter.

9. (a) He remained behind in Mendoza.   *quedarse*
    (b) Will they stay here long?

10. (a) Do you have the courage to write her a   *animarse a*
    letter?
    (b) I hope you feel encouraged to continue.

C. DRILL ON NEW EXPRESSIONS

Translate the following sentences into Spanish, selecting from the expressions on the right the one corresponding to the italicized English words on the left.

1. Laguna fell in *head first.*   *hace . . . años*
2. *Whenever* I saw him, he was complaining.   *por lo tanto*
3. *Therefore*, be very careful.   *al cabo de*
4. *After* two hours he finally came out.   *en medio de*
5. *Suddenly* the door opened.   *de repente*
6. *It was a question of* knowing the right person.   *hacer una mueca*
7. She disappeared *in the midst of* the crowd.   *tratarse de*
8. Laguna laughed and *made a grimace.*   *por último*
9. *Finally* we abandoned the search.   *cada vez que*
10. I went to Mendoza *many years ago.*   *de bruces*

D. SENTENCE COMPLETION EXERCISE

Complete, in any way you see fit, the sentence fragments given below by selecting for each a suitable verb from among those listed in Exercise B, observing always the subject indicated here and placing the new verb in appropriate tense or mood.

1. Espero que ella
2. Juan no quería que nosotros
3. En el invierno la casa
4. Él espera algún día
5. Cuando María escucha música, yo

EL VASO DE LECHE

In this classic story of poverty and solitude in a large Chilean port city, very little "happens": the sailor is left ashore, he wanders the streets, he is hungry and penniless, he tries to work but is too weak, he finally musters up the courage to obtain food by any means. The real power of the story lies in its portrayal of the inner world of the young man, his suffering, conflicts, and pride as he walks aimlessly around the wharf, and in the moving encounter, in the lechería, *with the woman with the "Spanish accent" who senses his suffering and does the little she can to assuage it. As in much of the best fiction of Rojas, warm human contact pierces the ring of solitude that surrounds us all, and this encounter makes life bearable and meaningful.*

El vaso
de leche

Afirmado en la barandilla de estribor, el marinero parecía esperar a alguien. Tenía en la mano izquierda un envoltorio de papel blanco, manchado de grasa en varias partes. Con la otra mano atendía la pipa.

Entre unos vagones apareció un joven delgado; se detuvo un 5 instante, miró hacia el mar y avanzó después, caminando por la orilla del muelle con las manos en los bolsillos, distraído o pensando.

Cuando pasó frente al barco, el marinero le gritó en inglés: 10

—I say; look here! (¡Oiga, mire!)

El joven levantó la cabeza y, sin detenerse, contestó en el mismo idioma:

—Hallow! What? (¡Hola! ¿Qué?)

—Are you hungry? (¿Tiene hambre?) 15

Hubo un breve silencio, durante el cual el joven pareció reflexionar y hasta dio un paso más corto que los demás, como para detenerse; pero al fin dijo, mientras dirigía al marinero una sonrisa triste:

—No, I am not hungry. Thank you, sailor. (No, no tengo 20 hambre. Muchas gracias, marinero.)

—Very well. (Muy bien.)

Sacóse la pipa de la boca el marinero, escupió y colocándosela de nuevo entre los labios, miró hacia otro lado. El joven, avergonzado de que su aspecto despertara sentimientos de 25 caridad, pareció apresurar el paso, como temiendo arrepentirse de su negativa.

Un instante después, un magnífico vagabundo, vestido inverosímilmente de harapos, grandes zapatos rotos, larga barba rubia y ojos azules, pasó ante el marinero, y éste, sin llamarlo previamente, le gritó: 5

—Are you hungry?

No había terminado aún su pregunta cuando el atorrante, mirando con ojos brillantes el paquete que el marinero tenía en las manos, contestó apresuradamente: 10

—Yes, sir, I am very much hungry! (Sí, señor, tengo harta hambre.)

Sonrió el marinero. El paquete voló en el aire y fue a caer entre las manos ávidas del hambriento. Ni siquiera dio las gracias y abriendo el envoltorio calentito aún,[1] sentóse en el suelo, 15 restregándose las manos alegremente al contemplar su contenido. Un atorrante de puerto puede no saber inglés, pero nunca se perdonaría no saber el suficiente como para pedir de comer a uno que hable ese idioma.

El joven que pasara[2] momentos antes, parado a corta dis- 20 tancia de allí, presenció la escena.

El también tenía hambre. Hacía tres días justos que no comía, tres largos días. Y más por timidez y vergüenza que por orgullo, se resistía a pararse delante de las escalas de los vapores, a las horas de comida, esperando de la generosidad de los marineros 25 algún paquete que contuviera restos de guisos y trozos de carne.[3] No podía hacerlo, no podría hacerlo nunca. Y cuando, como en el caso reciente, alguno le ofrecía sus sobras, las rechazaba heroicamente, sintiendo que la negativa aumentaba su hambre. 30

Seis días hacía que vagaba por las callejuelas y muelles de

1. **calentito aún** still warm.
2. **pasara** had passed by.
3. **contuviera . . . carne** that might contain leftover food and pieces of meat.

aquel puerto. Lo había dejado allí un vapor inglés[4] procedente de Punta Arenas,[5] puerto en donde había desertado de un vapor en que servía como muchacho de capitán. Estuvo un mes allí, ayudando en sus ocupaciones a un austríaco pescador de centollas, y en el primer barco que pasó hacia el norte embarcóse ocultamente.

Lo descubrieron al día siguiente de zarpar y enviáronlo a trabajar en las calderas. En el primer puerto grande que tocó el vapor lo desembarcaron, y allí quedó, como un fardo sin dirección ni destinatario, sin conocer a nadie, sin un centavo en los bolsillos y sin saber trabajar en oficio alguno.

Mientras estuvo allí el vapor, pudo comer, pero después . . . La ciudad enorme, que se alzaba más allá de las callejuelas llenas de tabernas y posadas pobres, no le atraía; parecíale un lugar de esclavitud, sin aire, oscura, sin esa grandeza amplia del mar, y entre cuyas altas paredes y calles rectas la gente vive y muere aturdida por un tráfago angustioso.

Estaba poseído por la obsesión del mar, que tuerce las vidas más lisas y definidas como un brazo poderoso una delgada varilla. Aunque era muy joven había hecho varios viajes por las costas de América del Sur, en diversos vapores, desempeñando distintos trabajos y faenas, faenas y trabajos que en tierra casi no tenían aplicación.

Después que se fue el vapor anduvo y anduvo, esperando del azar algo que le permitiera vivir de algún modo mientras volvía a sus canchas familiares;[6] pero no encontró nada. El puerto tenía poco movimiento y en los contados vapores en que se trabajaba no lo aceptaron.

Ambulaban por allí infinidad de vagabundos de profesión; marineros sin contrata, como él, desertados de un vapor o prófugos de algún delito; atorrantes abandonados al ocio, que

4. **Lo había . . . inglés** An English ship had left him off there.
5. **Punta Arenas** *The capital city of the territory of Magallanes in southern Chile.*
6. **volvía . . . familiares** returned to his home grounds.

se mantienen de no se sabe qué, mendigando o robando, pasando los días como las cuentas de un rosario mugriento, esperando quién sabe qué extraños acontecimientos, o no esperando nada, individuos de las razas y pueblos más exóticos y extraños, aun de aquellos en cuya existencia no se cree hasta 5 no haber visto un ejemplar vivo.[7]

Al día siguiente, convencido de que no podría resistir mucho más, decidió recurrir a cualquier medio para procurarse alimentos. 10

Caminando, fue a dar delante[8] de un vapor que había llegado la noche anterior y que cargaba trigo. Una hilera de hombres marchaba, dando la vuelta,[9] al hombro los pesados sacos, desde los vagones, atravesando una planchada, hasta la escotilla de la bodega, donde los estibadores recibían la carga. 15

Estuvo un rato mirando hasta que atrevióse a hablar con el capataz, ofreciéndose. Fue aceptado y animosamente formó parte de la larga fila de cargadores.

Durante el primer tiempo de la jornada trabajó bien; pero después empezó a sentirse fatigado y le vinieron vahídos, vaci- 20 lando en la planchada cuando marchaba con la carga al hombro, viendo a sus pies la abertura formada por el costado del vapor y el murallón del muelle, en el fondo de la cual, el mar, manchado de aceite y cubierto de desperdicios, glogloteaba sordamente. 25

A la hora de almorzar hubo un breve descanso y en tanto que algunos fueron a comer en los figones cercanos y otros comían lo que habían llevado, él se tendió en el suelo a descansar, disimulando su hambre.

Terminó la jornada completamente agotado, cubierto de 30 sudor, reducido ya a lo último. Mientras los trabajadores se

---

7. **aún de aquellos . . . vivo**   even of those races in whose existence you don't believe until you have seen a living specimen.
8. **fue a dar delante**   he ended up in front of.
9. **dando la vuelta**   in a continuous circle.

retiraban, se sentó en unas bolsas acechando al capataz, y cuando se hubo marchado el último acercóse a él y confuso y titubeante, aunque sin contarle lo que le sucedía, le preguntó si podían pagarle inmediatamente o si era posible conseguir un adelanto a cuenta de lo ganado.[10] 5

Contestóle el capataz que la costumbre era pagar al final del trabajo y que todavía sería necesario trabajar el día siguiente para concluir de cargar el vapor. ¡Un día más! Por otro lado,[11] no adelantaban un centavo.

—Pero —le dijo—, si usted necesita, yo podría prestarle unos 10 cuarenta centavos . . . No tengo más.

Le agradeció el ofrecimiento con una sonrisa angustiosa y se fue.

Le acometió entonces una desesperación aguda. ¡Tenía hambre, hambre, hambre! Un hambre que lo doblegaba como 15 un latigazo; veía todo a través de una niebla azul y al andar vacilaba como un borracho. Sin embargo, no habría podido quejarse ni gritar, pues su sufrimiento era oscuro y fatigante; no era dolor sino angustia sorda, acabamiento; le parecía que estaba aplastado por un gran peso. 20

Sintió de pronto como una quemadura en las entrañas, y se detuvo. Se fue inclinando, inclinando, doblándose forzadamente y creyó que iba a caer. En ese instante, como si una ventana se hubiera abierto ante él, vio su casa, el paisaje que se veía desde ella, el rostro de su madre y el de sus hermanas, 25 todo lo que él quería y amaba apareció y desapareció ante sus ojos cerrados por la fatiga . . . Después, poco a poco, cesó el desvanecimiento y se fue enderezando, mientras la quemadura se enfriaba despacio. Por fin se irguió, respirando profundamente. Una hora más y caería al suelo. 30

Apuró el paso, como huyendo de un nuevo mareo, y mientras marchaba resolvió ir a comer a cualquier parte, sin pagar,

10. **a cuenta . . . ganado** to be charged to his earnings.
11. **Por otro lado** Besides.

dispuesto a que lo avergonzaran, a que le pegaran, a que lo mandaran preso,[12] a todo; lo importante era comer, comer, comer. Cien veces repitió mentalmente esta palabra: comer, comer, comer, hasta que el vocablo perdió su sentido, dejándole una impresión de vacío caliente en la cabeza.   5

No pensaba huir; le diría al dueño: "Señor, tenía hambre, hambre, hambre, y no tengo con qué pagar . . . Haga lo que quiera".[13]

Llegó hasta las primeras calles de la ciudad y en una de ellas encontró una lechería. Era un negocito muy claro y limpio,   10
lleno de mesitas con cubiertas de mármol. Detrás de un mostrador estaba de pie una señora rubia con un delantal blanquísimo.[14]

Eligió ese negocio. La calle era poco transitada. Habría podido comer en uno de los figones que estaban junto al muelle, pero   15
se encontraban llenos de gente que jugaba y bebía.

En la lechería no había sino un cliente. Era un vejete de anteojos, que con la nariz metida entre las hojas de un periódico, leyendo, permanecía inmóvil, como pegado a la silla.
Sobre la mesita había un vaso de leche a medio consumir.[15]   20

Esperó que se retirara, paseando por la acera, sintiendo que poco a poco se le encendía en el estómago la quemadura de antes, y esperó cinco, diez, hasta quince minutos. Se cansó y paróse a un lado de la puerta, desde donde lanzaba al viejo unas miradas que parecían pedradas.   25

¡Qué diablos leería con tanta atención![16] Llegó a imaginarse que era un enemigo suyo, quien, sabiendo sus intenciones, se hubiera propuesto entorpecerlas.[17] Le daban ganas de[18] entrar

12. **dispuesto a . . . preso**   ready to be shamed, to be beaten, to be arrested.
13. **Haga lo que quiera**   Do whatever you like.
14. **blanquísimo**   very white.
15. **a medio consumir**   half-consumed.
16. **¡Qué diablos . . . atención!**   What the devil was he reading so carefully!
17. **quien . . . entorpecerlas**   who, knowing his intentions, had decided to obstruct them.
18. **Le daban ganas de**   He felt like.

y decirle algo fuerte que le obligara a marcharse, una grosería
o una frase que le indicara que no tenía derecho a permanecer
una hora sentado, y leyendo, por un gasto tan reducido.
Por fin el cliente terminó su lectura, o por lo menos, la in-
terrumpió. Se bebió de un sorbo[19] el resto de leche que con- 5
tenía el vaso, se levantó pausadamente, pagó y dirigióse a la
puerta. Salió; era un vejete encorvado, con trazas de carpintero
o barnizador.

Apenas estuvo en la calle, afirmóse los anteojos, metió de
nuevo la nariz entre las hojas del periódico y se fue, caminando 10
despacito y deteniéndose cada diez pasos para leer con más
detenimiento.

Esperó que se alejara y entró. Un momento estuvo parado a
la entrada, indeciso, no sabiendo dónde sentarse; por fin eligió
una mesa y dirigióse hacia ella; pero a mitad de camino[20] se 15
arrepintió, retrocedió y tropezó en una silla, instalándose después en un rincón.

Acudió la señora, pasó un trapo por la cubierta de la mesa
y con voz suave, en la que se notaba un dejo de acento español,
le preguntó: 20

—¿Qué se va usted a servir?[21]

Sin mirarla, le contestó:

—Un vaso de leche.

—¿Grande?

—Sí, grande. 25

—¿Solo?

—¿Hay bizcochos?

—No; vainillas.

—Bueno, vainillas.

Cuando la señora se dio vuelta,[22] él se restregó las manos 30

---

19. **de un sorbo** in one gulp.
20. **a . . . camino** halfway there.
21. **¿Qué . . . servir?** What would you like?
22. **se dio vuelta** turned around.

sobre las rodillas, regocijado, como quien tiene frío y va a beber algo caliente.

Volvió la señora y colocó ante él un gran vaso de leche y un platillo lleno de vainillas, dirigiéndose después a su puesto detrás del mostrador.

Su primer impulso fue el de beberse la leche de un trago y comerse después las vainillas, pero en seguida se arrepintió; sentía que los ojos de la mujer lo miraban con curiosidad. No se atrevía a mirarla; le parecía que, al hacerlo, conocería su estado de ánimo[23] y sus propósitos vergonzosos y él tendría que levantarse e irse, sin probar lo que había pedido.

Pausadamente tomó una vainilla, humedecióla en la leche y le dio un bocado; bebió un sorbo de leche y sintió que la quemadura, ya encendida en su estómago, se apagaba y deshacía. Pero, en seguida, la realidad de su situación desesperada surgió ante él y algo apretado y caliente subió desde su corazón hasta la garganta; se dio cuenta de que iba a sollozar, a sollozar a gritos,[24] y aunque sabía que la señora lo estaba mirando no pudo rechazar ni deshacer aquel nudo ardiente que se estrechaba más y más. Resistió, y mientras resistía comió apresuradamente, como asustado, temiendo que el llanto le impidiera comer. Cuando terminó con la leche y las vainillas se le nublaron los ojos[25] y algo tibio rodó por su nariz, cayendo dentro del vaso. Un terrible sollozo lo sacudió hasta los zapatos.

Afirmó la cabeza en las manos y durante mucho rato lloró con pena, con rabia, con ganas de llorar, como si nunca hubiese llorado.

Inclinado estaba y llorando, cuando sintió que una mano le acariciaba la cansada cabeza y que una voz de mujer, con un dulce acento español, le decía:

23. **estado de ánimo**   state of mind.
24. **a gritos**   out loud.
25. **se le nublaron los ojos**   his eyes clouded over.

—Llore, hijo, llore . . .

Una nueva ola de llanto le arrasó los ojos y lloró con tanta fuerza como la primera vez, pero ahora no tan angustiosamente, sino con alegría, sintiendo que una gran frescura lo penetraba, apagando eso caliente[26] que le había estrangulado la garganta. Mientras lloraba parecióle que su vida y sus sentimientos se limpiaban como un vaso bajo un chorro de agua, recobrando la claridad y firmeza de otros días.

Cuando pasó el acceso de llanto se limpió con su pañuelo los ojos y la cara, ya tranquilo. Levantó la cabeza y miró a la señora, pero ésta no le miraba ya, miraba hacia la calle, a un punto lejano, y su rostro estaba triste.

En la mesita, ante él, había un nuevo vaso lleno de leche y otro platillo colmado de vainillas; comió lentamente, sin pensar en nada, como si nada le hubiera pasado, como si estuviera en su casa y su madre fuera esa mujer que estaba detrás del mostrador.

Cuando terminó ya había oscurecido y el negocio se iluminaba con una bombilla eléctrica. Estuvo un rato sentado, pensando en lo que le diría a la señora al despedirse, sin ocurrírsele nada oportuno.[27]

Al fin se levantó y dijo simplemente:

—Muchas gracias, señora; adiós . . .

—Adiós, hijo . . . —le contestó ella.

Salió. El viento que venía del mar refrescó su cara, caliente aún por el llanto. Caminó un rato sin dirección, tomando después por una calle[28] que bajaba hacia los muelles. La noche era hermosísima y grandes estrellas aparecían en el cielo de verano.

Pensó en la señora rubia que tan generosamente se había conducido e hizo propósitos de pagarle y recompensarla de una manera digna cuando tuviera dinero; pero estos pensamientos de

---

26. **eso caliente**   that warm thing.
27. **sin . . . oportuno**   without anything appropriate occurring to him.
28. **tomando . . . calle**   later taking a street.

gratitud se desvanecían junto con el ardor de su rostro, hasta que no quedó ninguno, y el hecho reciente retrocedió y se perdió en los recodos de su vida pasada.

De pronto se sorprendió cantando algo en voz baja. Se irguió alegremente, pisando con firmeza y decisión. 5

Llegó a la orilla del mar y anduvo de un lado para otro, elásticamente, sintiéndose rehacer, como si sus fuerzas interiores, antes dispersas, se reunieran y amalgamaran sólidamente.

Después la fatiga del trabajo empezó a subirle por las piernas en un lento hormigueo y se sentó sobre un montón de bolsas. 10

Miró el mar. Las luces del muelle y las de los barcos se extendían por el agua en un reguero rojizo y dorado, temblando suavemente. Se tendió de espaldas, mirando el cielo largo rato. No tenía ganas de pensar, ni de cantar, ni de hablar. Se sentía vivir, nada más. 15

Hasta que se quedó dormido con el rostro vuelto hacia el mar.

Exercises

A. QUESTIONS

1. ¿Dónde estaba el marinero y qué llevaba en la mano?
2. ¿Tenía hambre el joven?
3. ¿Por qué estaba avergonzado el joven?
4. ¿Cuántos días hacía que no comía el joven?
5. ¿Cómo había llegado el joven a aquel puerto?
6. ¿Cómo se embarcó para salir de Punta Arenas?
7. ¿Qué le parecía la ciudad enorme?
8. ¿Pudo encontrar trabajo en el puerto?
9. ¿Cómo era el trabajo que por fin encontró?
10. ¿Por qué le vinieron vahídos?
11. ¿Por qué sufría el joven y qué resolvió hacer?
12. ¿Qué tienda encontró?
13. ¿Qué acento tenía la dueña de la tienda?
14. ¿Qué ocurrió cuando terminó con la leche y las vainillas?
15. ¿Qué le dijo a la señora al salir?

B. VERB EXERCISE

Using the expressions in the right-hand column, give the Spanish for the English sentences listed on the left.

1. (a) He appeared to be a Latin American.   *parecer*
   (b) They seem to be afraid.
2. (a) She thanked me for the letter.   *dar las gracias*
   (b) They will thank you for your good work.
3. (a) He refused their offer.   *rechazar*
   (b) Will you refuse the invitation?
4. (a) He carried out a difficult job.   *desempeñar*
   (b) She plays the role of the mother.
5. (a) He turned around and saw Elena.   *dar la vuelta*
   (b) You must make many turns to get there.
6. (a) Does he dare to enter this house?   *atreverse a*
   (b) He dared to ask for the best seat.
7. (a) He was grateful for their help.   *agradecer*
   (b) We are grateful for your kind words.
8. (a) He hesitated before entering the room.   *vacilar*
   (b) Don't stumble on pronouncing the word.
9. (a) They will complain about the service.   *quejarse*
   (b) I complained to the manager.
10. (a) I don't feel like working today.   *tener ganas de*
    (b) They didn't feel like answering your letter.

C. DRILL ON NEW EXPRESSIONS

Translate the following sentences into Spanish, selecting from the expressions on the right the one corresponding to the italicized English words on the left.

1. *On the other hand,* the food was not good.   *pedir de comer*
2. He probably *realized* his error.   *ir a dar*
3. *He ended up at* the door of her house.   *en tanto que*
4. Martha *was standing* when the door opened.   *por otro lado*
5. They began to complain *halfway through* the trip. *estar de pie*
6. What *did he ask for* to eat?   *por fin*
7. He drank the glass of milk *with one gulp.*   *a mitad de*
8. Wait here *while* I go shopping.   *de un trago*

9. She *finally* understood my question.   *en seguida*
10. Open the window *immediately*!   *darse cuenta de*

D. SENTENCE COMPLETION EXERCISE

Complete, in any way you see fit, the sentence fragments given below by selecting
for each a suitable verb from among those listed in Exercise B, observing always
the subject indicated here and placing the new verb in appropriate tense or mood.

1. Cuando le ofreció una silla, ella la
2. Era inglés, aunque no lo
3. No fui a trabajar hoy porque
4. Trabajó mucho, aunque siempre
5. Yo quería hablar con la muchacha, pero no

UN LADRÓN Y SU MUJER

This story depicts the devotion of a woman to her husband. He happens to be a thief, as she learns after their marriage; but that circumstance increases, rather than diminishes, her feelings of protection and love toward him. She is capable, as he well knows, of immense sacrifices on his behalf. After he escapes from prison (the "escape" is almost an accident), she innocently goes to visit him in the jail and is made to spend the night in a cell with a dead man, which she does without a murmur. The moving reunion at the end of the story could be that of any married couple devoted to each other, after a long separation. The fact that the husband is a thief, the author seems to tell us, has no relation to the degree of love and affection that may exist between a man and a woman.

Un ladrón
y su mujer

Una tarde de principios de invierno, en aquel pueblo del sur, una mujer apareció ante la puerta de la cárcel. Era una mujer joven, alta, delgada, vestida de negro. El manto cubríale la cabeza y descendía hacia la cintura, envolviéndola completamente. 5

El viento, que a largas zancadas recorría las solitarias callejuelas del pueblo, ceñíale la ropa contra el cuerpo, haciéndola ver más alta y delgada.

Tenía la piel blanca y los ojos claros.

Estuvo un largo rato mirando la vieja y torcida puerta de la 10 cárcel. Detrás de la reja, más allá del ancho corredor, un gendarme con aire aburrido se paseaba con su carabina al hombro. Por fin, la mujer avanzó y entró decidida. Llevaba un paquete colgando de la mano izquierda.

—¿Qué quiere? —preguntó el guardia, interrumpiendo su 15 paseo.

—Quisiera . . . —dijo la mujer, pero en el mismo instante el gendarme gritó con voz gruesa:

—¡Cabo de guardia!

—¿Qué te pasa? —respondió una voz delgada desde el in- 20 terior.

—Aquí hay una mujer que quiere . . . —empezó a decir el soldado, pero como no supo qué agregar, se encogió de hombros y recomenzó su paseo.

Apareció un vejete chico, delgado, de bigote blanco, vestido 25 de uniforme, con la gorra torcida sobre la oreja y un gran manojo de llaves en la mano.

—¿Qué quiere, señora? —preguntó con voz amable.

La mujer se acercó a la reja.

—¿Hay aquí un preso que se llama Francisco Córdoba?   5

—¿Francisco Córdoba? Espérese . . . —respondió el cabo, rascándose la cabeza e inclinando más con este movimiento la gorrilla sobre la oreja— Francisco Córdoba . . . Sí. Uno delgado, moreno, de bigote . . .

—Sí.   10

—¿Y qué?

—Yo soy su mujer y quisiera verlo para entregarle una ropa que le traigo.

—¡Um! Ahora no va a poder verlo. Es muy tarde. La ropa puede dejarla, con confianza; yo se la entregaré.   15

—Y estos veinte pesos . . .

—¿Quiere mandarle veinte pesos? Muy bien. Démelos. No tenga cuidado,[1] señora —agregó, risueño, viendo que la mujer dudaba.

—Sí, tome —dijo ella.   20

—Si quiere hablar con él venga mañana temprano.

—Bueno; muchas gracias.

—De nada, señora. Vaya tranquila.

Todavía no había salido cuando el cabo, dándose vuelta hacia adentro, gritó con voz estentórea: 25

—¡Francisco Córdoba!

—¡Eh! —respondió lejos una voz que ella conocía; la voz de su hombre.

Se detuvo, con la esperanza de oírla de nuevo,[2] pero ningún otro grito salió del fondo de aquellas murallas húmedas.   30

—¡Francisco Córdoba!

—¿Qué hay, mi cabo? —preguntó el preso.

1. **No tenga cuidado** Don't worry.
2. **de nuevo** again.

—Toma. Tu mujer ha venido a verte y te manda este paquete y estos veinte pesos.

—¿De veras,[3] mi cabito? ¿Y por qué no me deja hablar con ella?

—Ya es muy tarde. Vendrá mañana en la mañana —respondió 5 el cabo, abriendo la puerta y entregando al preso el paquete y el dinero.

—Muchas gracias, cabo.

—Abre el paquete.

—En seguida. 10

El paquete contenía ropa interior limpia. El cabo echó una mirada de reojo[4] y cerrando la puerta del calabozo se fue.

Pancho Córdoba, contento, cantando de gozo, empezó a cambiarse la ropa. Su mujercita había venido, trayéndole ropa limpia y dinero. ¡Tan linda y tan fiel! Desde donde la llamara,[5] 15 por muy lejos que estuviera, venía siempre a verlo. Ni una vez faltó al reclamo de su hombre en desgracia. Se enterneció pensando en ella, tan seria, tan humilde, tan maternal, siempre sin quejarse, llena de solicitud y de atención.

Pancho Córdoba era un hombre delgado, moreno, de bigote 20 negro. Vestía siempre muy correctamente. Era un poco jugador y otro poco ladrón, poseedor de mil mañas y de mil astucias, todas ellas encaminadas al poco loable fin de desvalijar al prójimo. ¿Qué es lo que no sabían hacer las manos de Pancho Córdoba? Desde jugar con ventaja al póker, al monte o a la brisca,[6] hasta 25 extraer un billete de banco, por muy escondido que estuviera[7] en el fondo de los ajenos bolsillos, todo lo hacía. Era un verdadero pájaro de cuenta,[8] hábil, alegre, despreocupado. Lo habían detenido en la estación de ese pueblo en los momentos en

3. ¿De veras . . . Really?
4. de reojo   out of the corner of his eye.
5. Desde . . . llamara   From wherever he would call her.
6. monte . . . brisca   *card games played in Spanish-speaking countries.*
7. por muy . . . estuviera   no matter how well hidden it was.
8. pájaro de cuenta   a big shot.

que pretendía dejar sin su repleta cartera a un respetable caballero, y a pesar de su aire de indignación, de su chaquet y de sus protestas de honradez, fue enviado rectamente a la cárcel. Una vez que se hubo cambiado de ropa se sintió otro hombre y se paseó con aire de importancia por el calabozo. Mañana 5 vendría su mujer, haría algunas diligencias, gastaría algún dinero y seguramente lo pondrían en libertad. Conocía el sistema. Dos horas después, los presos fueron sacados de sus calabozos y llevados al patio. Antes de las ocho era costumbre pasar lista 9 a los detenidos. Esto servía también como recreo para los 10 reos.

Apenas llegó al patio, el salteador Fortunato García, condenado a una larga condena, se acercó a él y le dijo:

—Pancho, oye bien lo que te voy a decir.

—Habla. 15

—Óyeme sin mirarme. Cuando pase por aquí la guardia de relevo, los hombres de mi cuadrilla se echarán encima de los soldados y les quitarán las carabinas. Seguramente habrán tiros hasta para regalar. Mientras tanto, yo me correré hacia el fondo y saltaré la muralla que da al río.10 La fuga está preparada nada 20 más que para mí, pero si quieres escaparte, sígueme. Si la treta sale bien nos podemos ir muchos. ¿Entendiste?

—Sí, gracias.

—No me des las gracias todavía, porque es muy posible que si la cosa sale mal nos peguen un tiro.11 Atención. 25

Al principio, el proyecto le produjo un poco de miedo a Pancho Córdoba. Él no era hombre de tiros ni de situaciones trágicas. No le gustaban las emociones demasiado violentas. Pero pensándolo bien, el asunto no era tan terrible y todo dependía del modo cómo se aprovechara el tiempo. Observaría el 30

9. **pasar lista**   to take roll, roll call.
10. **que da al río**   that faces the river.
11. **nos peguen un tiro**   they may shoot us.

desarrollo de los acontecimientos y si las circunstancias se prestaban se marcharía lo más rápidamente posible.

Pensó en seguida que su desconocimiento de la región era un obstáculo para su fuga y buscó, entre los hombres que lo rodeaban, a alguien conocedor del terreno que pudiera guiarlo y 5 acompañarlo.

Entre los presos había dos indios araucanos, mocetones fornidos, altos, macizos, condenados a varios años por un robo de animales. Se acercó a ellos y en breves palabras les puso al corriente[12] de lo que se preparaba, comprometiéndose ellos a 10 llevarlo consigo y no abandonarlo. Conocían la región como sus propias rucas.

—En cuanto me vean correr, síganme —les dijo Pancho Córdoba con aire de jefe.

Sin embargo, le quedó una última duda. ¿No sería una es- 15 tupidez exponerse a recibir un tiro, ya que su causa no era grave y podía salir de un momento a otro? ¿Y su mujer?

Estaba pensando en ella cuando apareció en el patio el pelotón de gendarmes que abandonaba la guardia. Pasó por delante de los presos y desapareció por la puerta que daba hacia el 20 exterior. Inmediatamente entró el grupo que cubría la nueva guardia. Apenas los soldados llegaron a la mitad del patio, uno de los presos cerró la puerta y los demás se echaron aullando encima de los nuevos centinelas. Gritos de violencia y quejidos de angustia se oyeron. A Pancho Córdoba se le encogió el cora- 25 zón. Miró hacia el fondo del patio y vio que Fortunato García se lanzaba al aire desde lo alto de la muralla.

La guardia, cogida de improviso,[13] fue desarmada casi en su totalidad y sus hombres, pálidos, se arrinconaban, rechinando los dientes de rabia. Dos soldados luchaban aún. 30

Tres hombres más saltaron la muralla. Francisco Córdoba se repuso y pensó que estaba perdiendo un tiempo precioso. Hizo

12. **les . . . corriente** he brought them up-to-date.
13. **de improviso** unexpectedly, by surprise.

un rápido cálculo y vio que todavía disponía de diez o quince minutos para ponerse en salvo.[14] Además, ya era casi de noche y sería fácil escurrirse entre las sombras.

Sin saber cómo, se encontró en lo alto de la pared. Saltó en el aire y apenas tocó el suelo apretó a correr derecho.[15] Un minuto después los indios corrían a su lado.

—Por aquí.

Se desviaron un poco y llegaron a la orilla de la barranca del río.

—No hay camino. ¡Tírate! —gritó uno de los indios lanzándose al vacío.

Llevado por el ímpetu de la carrera, Pancho Córdoba no tuvo tiempo de reflexionar y cerrando los ojos saltó. Cayó en una pendiente de tierra suelta que se desmoronó y lo fue a dejar, rodando, a la orilla del río.

El indio más joven corría ya sobre el agua, chapoteando delante de Pancho. El otro venía detrás. Subieron la pendiente contraria y se encontraron a la otra orilla del río, frente al campo inmenso, nerviosos y entusiasmados por la fuga.

En ese momento se oyó el primer tiro en la cárcel y como si ésa hubiese sido la señal de partida, los tres echaron a [16] correr como locos.

Los faldones del chaquet de Pancho Córdoba volaban detrás de él.

No supo cuánto tiempo estuvo corriendo. Con los puños cerrados, lleno de una alegría frenética, corría detrás del indio joven, procurando mantener la distancia. El indio corría con un trote largo, elástico, sostenido, resoplando como un caballo. El otro marchaba detrás de Pancho y él sentía su respiración rítmica y su paso liviano resonando en el silencio del campo. Se sentía seguro en medio de esos dos hombres tan sanos, tan

---

14. **para . . . salvo** to get safely away.
15. **apretó . . . derecho** he began to run straight ahead.
16. **echaron a** began to.

robustos, que parecían dispuestos a correr todo el tiempo que fuera necesario y más aún.

Pero si Pancho Córdoba era ágil y liviano, como un verdadero ladrón joven, no poseía, en cambio,[17] la formidable resistencia de sus compañeros. El sudor corría a chorros por su cuerpo 5 y a la hora escasa de marcha se dio cuenta de que no podría correr mucho tiempo más. Sentía el pecho y las piernas pesadas y la respiración producíale un dolor como de quemadura en la garganta. Empezó a perder terreno y tropezaba continuamente, vacilando en la carrera. Quiso detenerse, pero el indio que 10 venía detrás le gritó:

—¡No te pares, huinca[18] cobarde! ¡Corre!

El insulto le dio rabia, pero también le dio fuerzas, y continuó corriendo. Pero aquel demonio que corría delante de él era incansable, no disminuía un instante un largo trote y parecía 15 tocar apenas con sus pies la blanda hierba del campo.

De pronto tropezó y cayó rodando al suelo, con la boca abierta, extenuado. Los dos indios se detuvieron.

—¡Párate![19] ¡Corre! —le gritaron desesperados, rabiosos.

—No puedo. Váyanse ustedes. Déjenme solo —murmuró 20 Pancho Córdoba.

—¡Párate! Vienen soldados . . . —le dijeron.

Pancho no respondió, no podía hablar. Entonces el indio más joven lo levantó bruscamente, se puso delante de él e inclinándose, lo tomó sobre su espalda, reanudando la carrera. 25

Pancho, avergonzado, se tomó del cuello del indio y se dejó llevar. Durante mucho rato el araucano corrió con su carga humana con un trote pesado, pero continuo; cuando juzgó que el hombre había descansado lo suficiente, lo soltó. Pancho Córdoba volvió a correr y corrió hasta caer nuevamente al 30 suelo, rendido, tomándolo entonces en hombros el otro indio.

17. **en cambio**   on the other hand.
18. **huinca**   white man (*expression used by Chilean Indians*).
19. **¡Párate!**   Stand up.

Cuando éste lo dejó, se negó a correr más. Ya no había razón para proseguir corriendo, pues se habían alejado bastante y seguramente estaban fuera de peligro.

Sin embargo, siguieron andando de prisa, escuchando de rato en rato. Pero el campo estaba en silencio. Ni un grito, ni un 5 disparo, ni un trote de caballo. La oscuridad era profunda, y en medio de ella marchaban los tres hombres, mudos, respirando fatigosamente.

Al día siguiente, muy temprano, la mujer de Pancho Córdoba se encaminó hacia la cárcel. Había tenido noticias de la evasión, 10 pero sin saber detalles de ella. Estaba pálida y demacrada. Apenas había dormido esa noche. En la oscuridad de su pieza, medio dormida, medio despierta, veía a su marido muerto, tendido de bruces [20] en el suelo, o huyendo, perseguido por un soldado que le hacía fuego [21] sin poder herirlo. Otras veces lo 15 veía libre, sonriendo, o herido, afirmado en un árbol, pálido, mirándola tristemente mientras ella lloraba.

¿Hasta cuándo viviría ella así? Todos los trances angustiosos en que él se encontraba a menudo, todos los peligros que corría, las prisiones, las fugas, los procesos, todo ese dolor continuo 20 que forma la vida de un delincuente, recaía únicamente sobre ella. Él soportaba los acontecimientos, vivíalos; ella sufríalos. viviendo siempre angustiada, recibiendo en su corazón de mujer todo el oscuro dolor de la vida de su hombre.

Resignada, silenciosa, iba de allá para acá, siguiéndole en sus 25 vicisitudes. Había unido su vida a la de ese hombre, queriéndolo, sin saber que era ladrón; cuando lo supo lo quiso más, sintiendo hacia él un cariño de madre y hermana.

Antes de llegar a la puerta de la cárcel, se detuvo indecisa. ¿Se habría fugado o no habría podido hacerlo? ¿Estaría herido 30 o muerto? ¿Qué hacer?

---

20. **tendido de bruces**   lying face down.
21. **que le hacía fuego**   who was shooting at him.

Por fin se decidió a entrar.

Detrás de la reja se paseaba un gendarme con el arma al hombro. Pero éste no tenía el aire aburrido que tenía el de la tarde anterior. Este se paseaba resueltamente, con aspecto de guapeza y de desafío. 5

—¿Qué quiere? —preguntó, deteniéndose y echando una mirada terrible sobre la mujer.

—Quisiera hablar con el cabo de guardia.

—¡Cabo de guardia! —gritó él.

Un hombre alto y moreno acudió. La guardia había sido 10 cambiada y el simpático vejete de la gorrilla ladeada estaba descansando.

—¿Qué pasa? ¿Qué quiere, señora? —preguntó con voz brusca.

—Es que . . . el otro cabo me dijo que podía venir hoy en la 15 mañana a ver a mi marido.

—¿Quién es su marido?

—Un detenido, Francisco Córdoba.

—¿Francisco Córdoba? —preguntó el cabo, sorprendido.

—Sí. Yo vine ayer a hablar con él y el otro cabo me dijo . . . 20

—Sí, sí; espérese. ¿De modo que usted es la mujer del reo Córdoba?

—Si, yo soy.

—Muy bien, pase.

Abrió la reja y la mujer entró. 25

—Venga por acá.

La hizo entrar en un cuartucho donde había una mesa y una banca. Algunos grillos estaban colgados de la pared.

—Siéntese.

La mujer se sentó, tímida. Había notado que el cabo le di- 30 rigía furtivas miradas, como queriendo sorprenderla. Además, su voz estaba llena de malicia. El hombre se plantó ante ella.

—¿Así es que usted quiere hablar con el preso Francisco Córdoba? —preguntó irónicamente.

—Sí, señor.

El gendarme la miró de arriba abajo y después de un momento preguntó:

—¿Usted no sabe lo que pasó anoche aquí?

—No, señor —mintió ella.   5

—Hubo una fuga. Los presos atacaron a la guardia e hirieron a dos soldados. Su marido fue uno de los cabecillas. ¿Usted no sabía que se estaba preparando una fuga?

—No, señor, nada.

—¿No sabía nada, no? ¿Usted es de aquí del pueblo?   10

—No, señor; llegué ayer de Santiago.

—¿Él no le dijo nada a usted?

—Si no he hablado con él . . .

El cabo calló, mirando a la mujer. Después le dijo, repentinamente, queriendo confundirla: 15

—Usted ha venido al pueblo a preparar la fuga.

—No; él me escribió a Santiago pidiéndome que le trajera ropa y dinero. Nada más.

—¡Um! ¡Qué casualidad! [22] Llegar el mismo día de la evasión. Y dice que no sabe nada . . .   20

La mujer, con la cabeza inclinada, sentía caer sobre ella la mirada y las palabras del cabo. Éste, con las piernas abiertas, balanceaba el cuerpo, haciendo sonar el llavero que llevaba colgado de la mano izquierda.

—¿Y usted no sabe dónde está su marido?   25

—¿Se arrancó? [23] —preguntó ella, anhelante. El hombre largó una risotada.

—No, no alcanzó a irse. Está aquí, bien guardado. Espérese un momento.

Salió y volvió acompañado de un sargento. Ante la puerta 30 conversaron los dos en voz baja. El sargento miraba de vez en

---

22. **¡Qué casualidad!**   What a coincidence!
23. **¿Se arrancó?**   Did he get away?

cuando a la mujer. Terminada la conversación, avanzó hacia ella
y díjole:

—Usted va a quedar detenida. Necesitamos hacer algunas
averiguaciones.

La mujer no protestó. Sabía que era inútil.   5

—Por aquí.

El cabo guió a la mujer por una ancha galería de celdas y
calabozos. Afirmados en los barrotes de las rejas, mudos, tristes,
algunos presos miraban a la mujer y al cabo. No hacían un
movimiento ni decían una palabra; no había ni sorpresa ni pena   10
en sus rostros. Habían perdido toda expresión y parecían formar
parte de aquellas rejas, de aquellas paredes y de aquellas tablas
de las tarimas.

—Está triste la gallada! [24] —murmuró el cabo irónicamente—.
Se les dio vuelta la tortilla. [25]   15

Aludía al poco éxito de la fuga, atribuyendo a ella la causa del
silencio y de la tristeza de los presos.

Por fin, en el último calabozo de la galería, fue encerrada la
mujer.

Al entrar vio sobre la tarima una frazada manchada de sangre,   20
extendida sobre un bulto que parecía el de una persona. No dijo
una palabra; pero apenas el cabo cerró la puerta y se fue, avanzó
hacia la tarima, cogió la frazada de una punta y tiró hacia
atrás, con miedo, temiendo ver de pronto aparecer el rostro
pálido de su hombre.   25

El muerto no era su marido; lo tapó cuidadosamente y fue
a pararse ante la reja del calabozo. Después de irse el cabo, los
presos habían comenzado a hablar en voz baja, de calabozo a
calabozo, y ella sentía el cuchicheo en toda la galería.

Escuchando estaba, cuando cerca de ella una voz la llamó   30
desde un calabozo.

—¡Señora! ¡Señora!

24. **la gallada** bunch of roughnecks.
25. **Se les dio . . . tortilla** They've had some bad luck.

—¿Qué quiere? —respondió, sin ver al que llamaba.
La voz era suave y el que hablaba parecía tener el propósito
de servirla o ayudarla.

—¿Por qué la traen a usted? —preguntó.

—Vine a ver a mi marido que está preso aquí; me han dicho 5
que anoche hubo una fuga y me han detenido mientras hacen
algunas averiguaciones.

—¿Y quién es su marido? —preguntó la voz.

—Francisco Córdoba.

—¿Pancho Córdoba? Se fugó ayer con seis reos más.   10

—¿Se fugó?

—Sí, señora, alégrese.

La noticia corrió rápidamente por la galeria. ¡La mujer de
Pancho Córdoba estaba allí! El tono de la conversación subió
alegremente. La única distracción del momento la constituía el 15
hablar de los que habían logrado fugarse.

Durante mucho rato estuvo oyendo contar los detalles de la
evasión. Tranquilizáronla los presos diciéndole que su situación
no era comprometedora y que tan pronto prestara la primera
declaración pondríanla en libertad.   20

La charla de los presos la entretenía y la libraba de la horrible
soledad de su calabozo, haciéndola olvidar un poco la fría
presencia de aquel muerto.

Pero transcurrió el día y vino la tarde, helada, silenciosa.
El rumor y el cuchicheo se fueron apagando poco a poco y por 25
fin la mujer quedó aislada entre las paredes del calabozo. Hasta
muy entrada la noche[26] se mantuvo afirmada en la reja, de pie,
sintiendo a su espalda algo molesto y extraño, procurando oír
alguna voz, algún rumor de pasos, algo que la acompañara en
su soledad.   30

Por fin sintió frío y cansancio. El viaje que había hecho
desde la capital, la mala noche pasada, la falta de alimentación,
la rindieron. Se acurrucó en un rincón, pero el frío era demasiado

---

26. **Hasta ... noche** Until very late that night.

intenso y le impedía dormir. Se levantó y haciendo un gran
esfuerzo de valor fue hacia el muerto y tomando la frazada de
una punta empezó a descubrirlo. Cuando la hubo retirado
completamente, caminó en punta de pies hasta un rincón, se
arrebozó en la frazada y sentándose en el suelo se quedó pro- 5
fundamente dormida.

Durante cinco días permaneció en la cárcel, sin ser interrogada.
El juez había sido llamado a la capital y ella tuvo que esperar
su vuelta, pacientemente, resignada con su suerte.

El cabo pequeño, el vejete de la gorrilla ladeada, venía 10
siempre a hablar con ella, a acompañarla, y procuraba entre-
tenerla contándole historias y chascarros. Le inspiraba piedad y
simpatía aquella mujer que no protestaba, que quería tanto a su
hombre y que esperaba sin desesperarse. Además, el cabito había
apreciado mucho a Pancho Córdoba, tan jovial, tan generoso 15
y . . . tan pillo.

A las horas de comida venía a dejarle personalmente la ración,
un guisote horrible que ella no podía soportar.

—Hay que 27 comer, hija mia . . . —decíale, paternalmente—.
El que no come no digiere y para vivir hay que comer y digerir. 20
Haga un empeñito. Mire, tápese la nariz, cierre los ojos y
échese una cucharadita a la disimulada. 28

Ella reía y consentía en comer para agradar a aquel vejete tan
simpático.

Por fin, al sexto día, habiendo regresado el juez, fue llevada a 25
declarar y como su declaración y la de la dueña de casa donde
viviera una tarde y una noche fueron satisfactorias, fue puesta en
libertad.

Desde la cárcel se fue hasta la estación, sola, silenciosa, tal
como había llegado, y allí estuvo sentada hasta que llegó el tren. 30
Cuando subió, sintió que la chistaban, llamándola. Se dio

27. **Hay que** One must.
28. **a la disimulada** secretly.

vuelta y vio, en un rincón del coche, a su marido, a Pancho Córdoba, que le sonreía tiernamente. Al verlo sintió algo dulce y triste que le oprimía la garganta y el corazón y empezó a llorar calladamente, sin sollozar, como si se propusiera no hacer ruido.

Él la tomó de un brazo y la sentó a su lado, acariciándola. Estaba locuaz y hablaba alegremente.

—¿Te tuvieron presa todo este tiempo? Yo lo suponía . . . Fíjate que²⁹ yo me fugué con dos indios araucanos, que me llevaron en hombros cuando me cansé de correr. Fuimos a dar no sé dónde,³⁰ por allá en las montañas, a sus rucas. Me atendieron como a un príncipe, me dieron bien de comer y cuando al venirme les ofrecí dinero, los veinte pesos que tú me mandaste, no me los aceptaron. Les pregunté cómo podía pagarles, ¿y sabes lo que me pidieron? Los forros de seda del chaquet para hacerse bolsas tabaqueras.³¹ ¡Ja, ja, ja! ¡Qué diablos lesos!³² ¿Qué te parece?

Pero ella no contestó. Con la cabeza afirmada en el hombro de Pancho Córdoba, lloraba dulcemente, sintiendo que con el llanto descansaba su corazón atribulado.

Exercises

A. QUESTIONS

1. ¿Cómo era la mujer que apareció ante la puerta de la cárcel?
2. ¿A quién buscaba la mujer?
3. ¿Por qué no le dejaron al preso hablar con su mujer?
4. ¿Cómo se llamaba el preso, y cómo era?
5. ¿Qué talentos tenía?
6. ¿Dónde fue detenido por la policía, y por qué?
7. ¿Qué plan tenía Fortunato García?

29. **Fíjate que** Just imagine that.
30. **Fuimos . . . dónde** I don't know where we ended up.
31. **bolsas tabaqueras** tobacco pouches.
32. **¡Qué diablos lesos!** What blockheads!

8. ¿Por qué se acercó Pancho a los indios?
9. ¿Qué momento escogieron los presos para la fuga?
10. ¿Por qué sería fácil escurrirse?
11. ¿Cuándo empezaron a correr como locos?
12. ¿Qué expresión de desprecio empleó el indio, y por qué?
13. Describa la segunda visita de la mujer a la cárcel.
14. ¿Dónde se reunieron por fin el ladrón y su mujer? Describa esta reunión.
15. ¿Cómo lo trataron los indios a Pancho Córdoba, y de qué modo querían que Pancho les pagara?

B. VERB EXERCISE

Using the expressions in the right-hand column, give the Spanish for the English sentences listed on the left.

1. (a) He went over the entire province looking for Juan.
   (b) He looked over the faces of the students. *recorrer*

2. (a) Alberto was walking around the city.
   (b) Mr. Sánchez is walking up and down the corridor. *pasearse*

3. (a) He shrugged his shoulders.
   (b) Robert cringed when he saw David. *encogerse (de)*

4. (a) Turn the letters over to Mr. Smith.
   (b) He devoted himself to the task. *entregar(se)*

5. (a) Don't worry; you will receive it.
   (b) He didn't worry about anything. *no tener cuidado*

6. (a) He was touched when he saw the poor child.
   (b) She is moved because of the suffering. *enternecerse*

7. (a) Do you like fried potatoes?
   (b) I didn't care for that film. *gustar*

8. (a) Who shot him?
   (b) Do you think they'll take a shot at us? *pegar un tiro*

9. (a) His foot slipped.
   (b) It would be easy to slip away. *escurrirse*

10. (a) María began to run
    (b) I will start to walk when you say "Now." *echar a*

C. DRILL ON NEW EXPRESSIONS

Translate the following sentences into Spanish, selecting from the expressions on the right the one corresponding to the italicized English words on the left.

1. The teacher *took roll*.	*más allá de*
2. *So* you know Mr. Smith also?	*pasar lista*
3. He scratched his head *from time to time*.	*dar a*
4. *Suddenly* there was silence.	*mientras tanto*
5. He went *beyond* Mexico City.	*encima de*
6. His window *faced* the street.	*en lo alto de*
7. He fell *on top of* a pile of papers.	*en cambio*
8. *Meanwhile*, the war continued.	*de pronto*
9. *On the other hand*, the thief was affectionate.	*de rato en rato*
10. Juan stood *on the highest part of* the hill.	*de modo que*

D. SENTENCE COMPLETION EXERCISE

Complete in any way you see fit, the sentence fragments given below by selecting for each a suitable verb from among those listed in Exercise B, observing always the subject indicated here and placing the new verb in appropriate tense or mood.

1. Mientras yo estaba en la oficina, él
2. Cuando termine la carta, no deje de
3. ¿Por qué saliste temprano del teatro? ¿La obra no
4. El ladrón se echó a correr y
5. Cuando le preguntaron su opinión, el campesino

VOCABULARY

The following types of words have been omitted from this vocabulary: (a) exact or easily recognizable cognates; (b) well-known proper and geographical names; (c) proper nouns and cultural, historical, and geographical items explained in footnotes; (d) individual verb forms (with several exceptions); (e) regular past participles of listed infinitives; (f) some uncommon idioms and constructions explained in the footnotes; (g) diminutives ending in **-ito** and **-illo** and superlatives ending in **-ísimo** unless they have a special meaning; (h) days of the week and the months; (i) personal pronouns; (j) most interrogatives; (k) possessive and demonstrative adjectives and pronouns; (l) ordinal and cardinal numbers; (m) articles; (n) adverbs ending in **-mente** when the corresponding adjective is listed; and (o) some simple prepositions.

The gender of nouns is not listed in the case of masculine nouns ending in **-o** and **-ón** and feminine nouns ending in **-a, -bre, -dad, -ez, -ión, -tad,** and **-tud.** A few irregular plurals, such as **veces,** are listed both as singular and plural. Most idioms and expressions are listed under their two most important words. Radical changes in verbs are indicated thus: (**ue**), (**ie, i**), etc. Prepositional usage is given in parentheses after verbs. A dash means repetition of the key word. Parentheses are also used for additional explanation or comment on the definition.

Many of the above criteria were not applied in an absolute fashion. Although the student is strongly urged to make "educated guesses" at the meanings of words without looking them up, where it seemed likely that an average second-year student might not understand a particular term, it was included.

ABBREVIATIONS

Adj.	Adjective	*Interj.*	Interjection
Adv.	Adverb	*M.*	Masculine
Aug.	Augmentative	*Mus.*	Music
Coll.	Colloquial	*N.*	Noun
Dim.	Diminutive	*P.P.*	Past participle
F.	Feminine	*Pl.*	Plural
Fig.	Figurative	*Pret.*	Preterite

abajo down, below; **boca** ——— upside down

abalanzarse to throw oneself

abanico fan; **abierto en** ——— fanned out

abatir to humble, dishearten, bring down

abertura opening

abombarse to become rounded

abordar to get onto, climb aboard

abotagarse to swell

abrazar to embrace

abrazo embrace

abrir (se) to open; ———se paso to make one's way

abultarse to become heavy, swelled, full

aburrido dull, boring

aburrir to bore

acabamiento end; exhaustion

acabar to finish; ——— **de** to have just; ——— **por** to end up by

acaecer to happen

acalambrarse to become afflicted with cramps

acariciar to caress

acaso perhaps

acceso attack

acechar to spy on, watch for

aceite *m.* oil

acento accent

acercarse (a) to approach

acequia ditch

acera sidewalk

acicalar to manicure, polish, groom

acoger to welcome, take in

acometer to attack

acomodar to arrange, place

acompañar to accompany

acontecer to happen

acontecimiento happening, event

acordarse (ue) (de) to remember; ——— **que** to come to an agreement

acorde *m.* harmony

acostado stretched out

acostar (ue) to put to bed; ———se to go to bed

acrecentarse to increase

acta official pronouncement

actuación performance

actual *adv.* present

acudir to come, approach

acurrucarse to huddle up, squat

adelantar to forward, advance, progress

adelante forward

adelanto a forward, advance payment

ademán *m.* gesture

además besides

adentro inside

adivinar to guess, divine

admiración amazement
adquirir to acquire, obtain, get
advertir (ie, i) to announce, warn, inform, observe;——se to notice, look
advocación *name given to a church, chapel or altar in dedication to the Virgin or a Saint*
afán *m.* eagerness
afecto afection
afirmar to affirm, to secure, steady
afrenta affront, disgrace;——s embarrassment, shame
afuera outside
agarrar to take, grasp, assume;—— el cabo a to grasp the secret *or* determining motives of
agarrotarse to hurt from compression by ropes
agazaparse to hide, crouch
agitado nervous
agitarse to shake
aglutinante full of long consonant sequences
agotado emptied, worn out, tired, used-up
agradar to please
agradecer to thank, be grateful for
agradecido grateful
agregar to add
agriarse to become irritated
agrietado cracked
aguardar to wait
agudo sharp, acute
aguijón stinger
aguijonazo sting, prick
aguijoneado stung, spurred
aguileño aquiline
agujereado pierced
aguzar to sharpen
ahí there
ahijado godson
ahogado choking

ahogar to drown, smother
airoso airy, graceful, lively
aislado isolated
ajedrez *m.* chess
ajeno of others, somebody else's
alabanza praise
alabar to praise
alambrado wire fence
alambre *m.* wire;—— de púa barbed wire
alarido howl
alba dawn, sunrise
albeante white, shining
albergue *m.* lodging, shelter
alcance *m.* reach
alcanzar to attain, to reach, to grasp; alcanzar (a)+*infinitive* to manage to
alcoba bedroom
aldehuela (*dim. of* aldea) hamlet, village
alegrarse to make happy, to become happy
alegría joy
alejar to distract, lead away from, alienate;——se to move away
alentar (ie) to encourage
algazara din, shouting, clamor
algodón cotton
alguien someone
aliado allied
aliento breath
alimentación food, nourishment
alimentar to nourish, fuel
alineado lined up
alivio relief, solace
alma soul
almorzar (ue) to have lunch
almuerzo lunch; breakfast
alojamiento lodging
alpargata hemp sandal
alrededor (de) around
alterado changed
altibajos *pl.* ups and downs

alto tall; halt; place of rest, stopping place
altura height
alzar to raise
alzarse to rise, to stand out
allá there; —— **arriba** up high; —— **abajo** down below; **más** —— beyond
amable kind
amanecer to dawn; to appear in the morning
amargo bitter
amargura bitterness
amarillento yellowish
amarillo yellow
amarrar to tie up, anchor with ropes
ambiente *m.* environment
ambos: ——**as** both
ambular to walk around
amenazar to menace, threaten
amontonado crowded together
amontonar to heap up
amoratado livid, purplish
ampararse (en) to take shelter (in)
amplio wide
anca rump; **en** ——**s** seated on a horse's rump
ancho wide
andaluz Andalusian
andar to walk
andurriales *m. pl.* byroads, lonely places
angustia anguish
angustioso anguishing
anhelante eager
anhelar to long for
anhelo desire, longing
anidarse to nest, gather
animar to encourage; ——**se** to become animated; to take heart, to dare
ánimo spirit, soul, mind; courage, hardiness

anoche last night
anochecer to become night; **al** —— at evening
anonadamiento annihilation
ansia eagerness
ansiedad anxiety
ansioso anxious
ante before, in front of, confronted with
antebrazo forearm
antecedente *m.* antecedent; ——**s** background
antedicho aforesaid
anteojos *m. pl.* glasses
anterior previous, preceding
antojadizo capricious, whimsical
anudar to knot
añadir to add
añejo old, aged, long-time
apacible peaceful, tranquil
apagado submissive, dulled
apagarse to turn off, extinguish
aparecer to appear
apartar to spread; to separate; ——**se** to stand aside, to isolate oneself
apasionado passionate
apenas scarcely, hardly
apetencia appetite
apisonar to tramp, stamp down
aplacar to appease
aplastado crushed
aplastar to crush
apoderar to overcome, take possession of
apoltronarse to repose, lounge, laze
apoyar to lean
apoyo support
apreciar to estimate, esteem
apremios *pl.* urgency
aprendizaje *m.* apprenticeship, knowledge, learning
apresurar to hasten, hurry
apretado tight; tightly closed

apretar (ie) to squeeze, tighten, clench
apretujarse to press hard
aprisionar to imprison, hold
aprovecharse (de) to take advantage of
apuntarse to gain, win for oneself
apurarse to hurry; to fret, worry
apuros *pl.* predicament, worry
arañar to scratch, grasp at
araucano Araucanian
árbol *m.* tree
arbusto bush, dwarf tree
arcano *adj.* secret, hidden; *n.m.* arcanum, mystery; **al ——** mysteriously
arder to burn
ardiente burning, hot
ardor *m.* heat
ardoroso burning, heat
arenal *m.* sandy ground
argentino Argentine
aridez aridity
arillo neck groove
armar to set up, assemble; **——** **una gritería** to raise a hue and cry
árnica arnica
arqueado arched, bow-legged
arrancar to root out, pull out; **———se** to start; to leave, get away, tear away
arrasar to fill to the brim, overflow
arrastrarse to drag oneself, crawl
arrebatar to snatch away; **———se** to abandon oneself, to rapture
arrebato rapture
arrebozarse to cover up
arrebujado wrapped up, muffled
arrecife *m.* reef
arreglar to arrange; **———la** to

find a solution; **———selas** to get along, make do
arrepentirse to repent, be sorry; to change one's mind
arriba up, upward; **allá ———** up high
arriero mule-driver
arrinconarse to huddle in a corner
arrobamiento bliss, rapture
arrodillarse to kneel
arrojar to toss
arrojarse to throw out, release; to hurl oneself
arropadito (*affectionate and emphatic dim. of* **arropado**) clothed
arroyito (*dim. of* **arroyo**) stream
arroyo stream, brook
arruga wrinkle
arrullar to lull, to bill and coo
asaltar to assault, attack, throw oneself at
ascender (ie) to ascend
ascua glow, burning, ember
asegurar to assure
asentarse to settle down, sink into
asentir (ie) to agree
asiento seat, chair
asimismo likewise
asirse to take hold of
asistir to attend
asoleado sunburned
asomar to show, be revealed
asombro frightened, astonishment
asomo sign
aspecto appearance
áspero sharp, rough
astracán *m.* astrakhan (*cloth*)
astucia artifice
asunto matter
asustadizo easily frightened, shy
asustado frightened
atacar attack

atajo short cut
atar to tie
atención: llamar la ——— **to** capture one's attention
atender (ie) to tend, attend to, to take care of
aterrado terrified
aterrador terrifying
atontado stupid
atorrante *m.* vagrant
atraer to attract, to draw, bring to
atrás behind, back, backwards
atravesar to cross
atreverse a to dare to
atribular to grieve, afflict
atrio atrium, raised platform in front of a church
atroz atrocious
aturdido stunned, bewildered
aturdimiento bewilderment
aullar to howl
aumentar to increase
aun even, still
aún still, yet
aunque although
austríaco Austrian
auxilio help, assistance
avergonzado ashamed
avergonzar to shame
averiguación inquiry
avieso mischievous, perverse
áxcale (*Aztec*) that's right; I agree
ayudar to help, assist
azada hoe
azadón hoe
azar *m.* chance, luck
azotar to whip
azul blue

baba drivel
baboso slavering
bailar to dance
bailotear to bounce about
bajar to go down

bajo *adv.* under, beneath; *adj.* lower, short,
bala bullet
balancear to rock, swing
balde: en ——— in vain
bananal *m.* banana grove
banano banana tree
banco bench
bandera flag, flagman
bañar to bathe, rinse
baqueano guide, leader
baranda edge
barandilla railing
barba beard
barbilla point of the chin
barnizador varnisher
barriga belly
barrios ——— **bajos** slums
barro mud
barrote *m.* bar
bastante enough, considerably
bastón cane, stick
beber to drink; ———**se** to drink up
belleza beauty
bencina benzine
berrear to moan, cry like a calf
bestezuela (*dim. of* **bestia**)
bestia beast
bigote *m.* moustache
billar *m.* billiard table, billiard room
billete *m.* bill
bizcocho biscuit, cake
blanco *n.* target; *adj.* white
blando soft
boca mouth; ——— **abajo** upside down
bocado mouthful
bochornoso hectic, chaotic
bodega hold (*of a ship*)
bofetada slap
boliche *m.* general store (*with adjoining bar*)
bolichero storeowner

bolsa bag
bolsillo pocket
bolso purse, sack, basket
bombilla bulb
bordar to embroider
borracho drunk; *n.m.*, drunk
borrar to erase; ———se to
  vanish
bosque *m.* forest
bostezo yawn
bota boot
bóveda arch, vault
boyar to float to the surface
bramido roar
bramar to roar
brasa burning coal
brasero fire pan, brazier
bravo wild, rugged
brazo arm
breve brief, short
brillo shine, brightness
brincar to pound (*i.e.*, *heart*); to
  jump, leap over
brinco: dar un ——— to jump
brioso spirited
broma joke, ridicule
bromista good-humored, lover
  of jokes
bronco abrupt, harsh, hoarse
brotar to burst forth, spring
bruma mist
brusco sudden
bucle *m.* ringlet
buche crop, belly
bulto bulk, form, body
bullicioso lively
burlarse (de) to make fun of,
  ridicule
burlón person who makes fun of,
  ridicules
buscar to look for

caballo horse
cabecilla *m. and f.* leader
cabellera head of hair

cabellos *pl.* hair
caber to fit
cabeza head
cabo chief, head; end, butt;
  al ——— de at the end of,
  after; agarrar el ——— (a) to
  grasp the secret (of)
cacareo cackling
caer to fall, descend; ———se to
  fall down
caído fallen
caja box
cajón coffin, container
calabozo jail
calarse to put on, pull on
caldera boiler
calentarse (ie) to warm
calor heat
calosfriar to make shiver
calzones *pl.* pants
callar to be silent
calle *f.* street, row
callejuela back street, alley
cama bed
cámara: ——— oscura camera
  obscura
cambiar to change, exchange
cambio change; a ——— de in
  order to, in exchange for
caminar to walk
caminata walk, hike, journey on
  foot
camino road, path, journey;
  ——— real main road
camisa shirt
campear to reside, be prominent
campero used in the fields, for
  farming
campo country, countryside,
  field
canal *f.* middle (*of a river*),
  channel
canción song
canela cinnamon
cansado tired

cansancio weariness
cansarse to tire
cantar to sing
cantidad quantity
canto song, cry
caña cane; a strong alcoholic drink distilled from sugar cane
cañada ravine
capataz *m.* foreman
capilla chapel
capital *f.* capital city
capuera thickly overgrown field
cara face
carabina carbine, rifle
carburado: alcohol ——— carbureted alcohol (*a fuel used in lamps*)
carcajada guffaw, peal of laughter
cárcel *f.* jail
carecer (de) to lack
carga armload, charge, weight
cargado loaded
cargar to carry, bear; to load, fill; ———se to gather momentum
caricia caress
caridad charity, generosity; **en** ——— **de Dios** please, for heaven's sake
cariño affection
carne *f.* flesh
carpa tent
carrera flight, race, run; **en** ——— on the run
carretera highway
carrillo cheek
cartera wallet
casarse (con) to marry
cáscara bark
casi almost
casilla small building *or* shelter; shrine
caso case

casquivano feather-brained, ridiculously conceited
castañetear to rattle
castaño chestnut (*color*)
casualidad chance occurrence, coincidence
caterva noisy throng
cauda tail (*of a comet*)
causa: a ——— **de** because of
cautela caution
cauteloso cautious
cazar to hunt
ceja eyebrow; **entre** ———s in mind
celda cell
celo zeal
ceniza ash
centena a hundred
centenares: a ——— by the hundreds
centinela sentry, sentinel
centolla spider crab
ceñir (i) to gird, contract, bind, hem in
cerca near, nearby; ——— **de** near
cercano near, close
cerco fence
cerebro brain
cerrar (ie) to close; ——— **el paso a** to block one's way
cerro hill
cesar to cease; **sin** ——— unceasingly
cesta basket
ciego blind
cielo sky
cifra figure, number
cigarrillo cigarette
cigarro cigarette
cinc *m.* zinc (*table top*)
cinchar to cinch up
cinto belt
cintura waist
cirio votive candle

citadino *adj.* city
ciudad *f.* city
clamar to cry out
clamor *m.* outcry
claridad clarity
claro *interj.* of course; clear, oblivious
clavar (se) to stick; to plunge in, pierce into
clavo nail
cliente *m.* customer
cobarde coward
cobardía weakness, cowardliness
coche *m.* car, cart
cofradía religious fraternity
coger to take, clasp, grasp
cogote *m.* back of the neck
cohete *m.* skyrocket
cola tail
colgante hanging down, clinging
colgar (ue) (de) to hang, swing from
colmar to fill
colocar to place, situate
colocarse to place, put
colorado red
comadrona midwife (*aug. of* comadre)
comedido civil servant, beadle
cometer to commit
comida food; something to eat, meal
comisura: ——— de la boca corner of the mouth
comitiva small gathering
como as; since; **——— si** as if; **tal ———** just as
cómodo comfortable
compadre godfather of one's son
compañero companion, friend
compartir to share
compás *m.* rhythm; **a ———** regular, in harmony
complacencia pleasure
complacer to please
complejo complex
comprobar verify, prove
comprometedor compromising
comprometer (se) to promise, compromise, engage; to become subjected to difficulties
concurrir (a) to attend
concurso aid, assistance; assembly, confluence
condena jail term
conducir to lead, take, conduct; to behave
conejo rabbit
confianza confidence
confianzudo bold, impudent
confiar to entrust, to trust
conformarse con to be satisfied with, to comply
confundir to confuse
confuso confused, embarrassed
conjeturar to guess, conjecture
conjuro incantation, exorcism, plot, machination
cono: ——— de hormigas anthill
conocer to know
conque so, then
consagrar to consecrate, fulfill
consecuencia: en ——— consequently
conseguir (i) to obtain
consejo advice
consolar (ue) to console
consuelo comfort, relief, consolation
contado few
contar (ue) to tell, relate; to be numbered
contenido *n.* content
contera tip (*of a cane*)
contertuliano fellow member of a social gathering
contestar to answer
contorno dimension
contrata *m.* contract

contratar to hire
contundente forceful, sharp
copa crown of a hat
copal *m.* a transparent resin
corajudo angry
corazón heart
corbata tie
cordillera mountain range
coro chorus; **a** ———— in chorus;
hacer ———— to join in
correr to run; to blow
correría travel
corrientemente at the same time
cortante biting, sharp
cortar to cut (off)
corto short
cosecha harvest
costa coast, cost
costado: de ———— on one's side;
sideways
costalillo (*dim. of* **costal**) large
bag for carrying supplies, feed,
etc.
costear to go along the edge
costra crust, bark
costumbre custom
crear to create
crecer to grow, grow up
creciente growing
credo Apostle's creed
creer to believe
cremallera rack, a toothed bar
crepúsculo early evening, dusk
cresta top, crest, ridge
crianza breeding
criarse to raise, bring up
criatura infant, small child
criollo native (*here, to Argentina*)
crispado curled, contracted
cristianar baptize
cromo colored lithograph
crucero transept (*arch*)
crujir to creak, clatter, rustle
cruz *f.* withers
cruzar to cross

cuadra city block
cuajarse to coagulate, thicken,
materialize
cual which, what; **el** (*and other
articles*) ———— which, who
cuando when; **de** ———— **en**
———— from time to time
cuanto all (that); **en** ———— as
soon as; **en** ———— **a** as for
cuartel *m.* barracks
cuartucho small room
cubierta tabletop
cubrir to cover
cucharadita a spoonful
cuchicheo whispering
cuchillo knife
cuenca eye socket
cuenta bead; **darse** ———— to
realize, perceive
cuerpo body
cuidado care; ———— **con** watch
out for
cuidar (de) to take care of
culebrear to wind, curl like a
snake
culpar to blame
cumbre height, mountain peak
cumplir to carry out, finish,
fulfill
cúmulo congestion, cloudiness
cura priest
curarse to get well
cursar to study

cháchara chit-chat
chapotear to splash
chaquet *m.* jacket
chaqueta suitcoat
charla conversation
charlador talker, conversational-
ist
charqui jerky, dried meat
chascarro joke
chasqueado disappointed, feeling cheated

chasquido snapping
chichón bruise, black-and-blue
  mark
chileno Chilean
chillar to scream, cry
chirimía flageolet, a wind instrument, type of flute
chirrido creaking, shrill sound
chispa spark, light
chistar to speak, to whisper
chocar to clash, crash, collide, strike; to surprise
choque *m.* skirmish
chorro flow, fountain, jet; a ———s overflowing
choza hut
chulo pretty, charming

damajuana demijohn
danzante dancer
dar to give; to deal; ——— de comer to feed; ——— la mano to shake hands; ——— un brinco to jump; ———se cuenta to realize, perceive; ——— a luz to give birth to, bring into the open; ——— rienda suelta (a) to give free rein to; ———se a to begin, undertake; ——— vuelta por to go around; ——— a to face; ir a ——— to end up
debajo beneath
debatirse to struggle, thrash about
deber must, ought, have to; *n.m.* duty
débil weak
decidor facile, witty, talkative
decir to say, tell
declive *m.* slope
dedazo (*aug. and pejorative of* dedo)
dedicarse to dedicate oneself, apply oneself
dedo finger, toe

definido well-defined
deglutir to swallow
degollar (ue) to decapitate
dejar to leave; ——— de to stop; ———se de to get rid of; deja never mind
dejo *n.* trace
delantal *m.* apron
delante (de) in front (of); por ——— in front, ahead
delgado thin, slender
delito crime
demacrado emaciated
demás the rest, the other
demasiado too much
demonio demon
demorar to remain, delay, spend
demostrar (ue) to demonstrate
depender (de) to depend on
derecha right, right-hand side
derecho right
derivar to drift, to derive
derrota defeat
derrumbarse to rush headlong
desafío challenge, dare
desalojar to move out, vacate
desapacible unpleasant
desaparecer to disappear
desarrollarse to unfold
desarrollo development
desatar to untie, loosen
desazón displeasure, vexation
desbordante overflowing
descalzo bare (*foot*)
descansar to rest
descanso rest, repose
descargar unload
descascarado stripped of bark, peeled
descendencia descent
desconcertar (ie) to confuse
desconocimiento ignorance, lack of knowledge
descruzar uncross
descubierto (*p.p. of* descubrir)

descubrir to discover, to uncover
desde from
desdeñoso disdainful
desembarcar disembark
desembocar en to come to, to flow onto
desempedrar to unpave, pound (*as by dancing*)
desempeñar to fulfill, carry out, execute, play (*a role*)
desenfrenado unleased, unrestrained
desertar to desert
desesperación desperation, despair
desesperado desperate
desesperarse to despair
desgarrado torn
desgracia misfortune
desgreñado uncombed, tousled, mussed up
deshacer to take apart; ———se to disintegrate; to diminish
deshecho destroyed
deslilachado ruffled
designio purpose
desistir to stop, cease
deslucir to darken
deslumbrar to dazzle
desmayado in a faint
desmayo faint
desmoronarse to crumble
desnudarse to get undressed
desnudo naked
desolado disconsolate
despacio slow(ly)
despacito very slowly
desparpajo ease, nonchalance, openness
despecho: a ——— de despite
despedida farewell
despedirse (i) to say goodbye
despellejarse to flay, skin
desperdicios rubbish, trash
despertar (ie) (se) to wake,

wake up; to inspire, cause, awaken
desplomarse to collapse
desprecio scorn
desprender (se) to come apart
despreocupado carefree
desprovisto (de) lacking (in)
después after, afterwards
destacar (se) to stand out
destemplado rash, discomposed, agitated
desteñir (se) to fade, discolor
desterrado exile
destinatario addressee
destrenzar (se) to unbraid (*come unbraided*)
destreza skill, deftness
destrozar to destroy
desvalido helpless
desvalijar to rob, plunder
desvanecerse to disappear
desvanecimiento dizziness, faintness
desviarse to turn aside
detalle *m.* detail
detener (ie) to detain, arrest; ———se, to stop
detenidamente thoroughly
detenimiento care
detrás (de) behind
devolver (ue) to return, give back
día *m.* day
diario daily
dibujar to sketch, trace, draw
dicha joy, happiness
diente *m.* tooth; ——— de leche milk tooth
diestra right hand, right-hand side
difunto deceased
digerir (ie, i) to digest
digno worthy
dilatar (se) to widen, spread open

diligencia diligence, errand
diluirse to spread out
diminuto small
dipsomanía craving for liquor
dirigir to direct; ———se a to
direct oneself toward, go off in
the direction of
disculpa apology
disfrutar to put to use, take
advantage of
disimular to dissimulate, dis-
guise
disimulo pretense, misrepresen-
tation; toleration
disminuir to lessen, diminish
disparo discharge (*of a weapon*)
disponerse (a) to prepare to;
(*p.p.* dispuesto)
dispuesto ready
distraído distracted
divagación digression, rambling
doblar to turn, go around, to
bend; ———se double over
doblegar to double up
doctorcito (*affectionate dim. of* doctor)
dolor *m.* pain; sorrow
dolorido heartsick
don *m.* gift, talent, capacity
donde where
dorado golden, gilded
dormido asleep
dormir (ue) (u) to sleep
dorso back
dudar to doubt
dueño owner
dulce sweet, soft
durar to last
durmiente *m.* railroad tie
duro hard

edad age
edén *m.* Eden, paradise (*fig.*)
efectivamente in fact, actually

efecto: en ——— as a matter of
fact, in fact
ejecutante *m.* performer
ejecutar to perform, execute
ejército army
elegir (i) to choose
elote *m.* ear of corn
embarcar to board
embestir (i) to attack
embobado astonished, stupefied
embudo funnel
emocionante exciting, electrify-
ing
empañar to dull, cloud
empapar to soak
emparejarse (con) to catch up
with
empeño effort
empezar (ie) to begin
empolvarse to get dusty
emprender to undertake, begin
empresa undertaking
empujar to push
empuñadura hilt, handle
empuñar to clutch, hold, hold
tightly with the fist
enagua petticoat, underskirt
enamorado person in love.
encajar to thrust, insert, force
in
encallar to run aground
encaminar to direct
encandilar to illuminate
encanto delight
encapotar to cloak, obscure
encapricharse to follow one's
whims; become stubborn
encarado: mal ——— homely,
ugly
encargarse (de) to take charge of
encargo errand, task
encauzar to channel, direct
enceguecedor blinding
encender (ie) to light; ———se
to ignite, revive

encerrar (ie) to include; to en-
close, lock up
encima on, on top
encogerse to shrivel, tighten;
——— **los hombros** to shrug
one's shoulders
encogido drawn up
enconado incensed, angry
encontrar (ue) to find
encorvado curbed, bent over
encorvarse to curve, bend, bow
encrucijada ambush, crossroads
encuentro encounter
endemoniado devilish, bewitched
enderezar to straighten up
endurecido hardened
enemigo enemy
enervamiento nervousness
enfermedad sickness
enfrascarse to become entangled
or involved in
enfriarse to cool
enfurecido furious
engañar to deceive
enigma *m.* enigma, mystery.
riddle
enjugar to dry off
enmarcar to frame, set off
enmienda correction, change
enmudecer (se) to become silent, mute
enojarse to get angry
enronquecerse to become hoarse,
hollow
enroscar to turn, twist
ensangrentado bloody
ensangrentar to bloody
ensayar to attempt, try out
ensordecer (se) to muffle, become silent
entablar to start
entender (ie) to understand
enternecerse to be moved, feel
touched

entero entire; on end
entonces then
entornado half-open
entorpecerse to slow, numb
entrada entrance
entrañas *f. pl.* entrails, intestines,
insides
entre among, amidst, between
entreabierto half-opened, ajar
entregar to give; to hand over;
———**se a** to take on; to devote
oneself to
entrega delivery
entrenamiento training
entretanto meanwhile
entretener (ie) to entertain
entrever to perceive
entristecer to sadden
entronizar to place on a throne
entumecido frozen, numb
enturbiar to make muddy
enviar to send
envoltorio bundle
envolverse (ue) to wrap
envuelto wrapped
época epoch
epopeya epic
equilibrar to straighten, even up
equipaje *m.* baggage
erguir to straighten; ———**se** to
straighten up
erigir to erect; ———**se** to become firm, stiff
escala ladder, gangplank
escalofriante chilling
escalofriar to chill
escalofrío chill
escaso scant, short, scarce
escenario stage
esclavitud slavery
esclerótica sclerotic (outer white
eye coating)
escotilla hatchway
escribir to write
escuchar to listen, hear

escueto unencumbered, solitary, exact
escupir to spit, spit out
escurrir to slip, flow, run; ——se to slip, slip away, slide
esfinge *f.* sphinx
esforzado strong
esfuerzo effort
esmirriado lean, emaciated
espalda back; **de** ——s on one's back; **dar la** —— to turn one's back on; **a sus** ——s behind one's back
espanto fear, fright
espantoso frightful
esparcir (se) to scatter
espejo mirror
espejuelos spectacles
esperanza hope
esperar to wait, expect; to hope
espiga shoot, blade of wheat
espina thorn, spine, fishbone
espíritu *m.* spirit
espuma foam
esquila scalping, skinning, shearing; small bell
esquina corner
esquinado corner
estado state, condition
estallar to explode
estampa print
estampido crack, report of a gun; explosion
estentóreo stentorian; very loud
estibador *m.* stevedore, longshoreman
estómago stomach
estrecharse to tighten
estrecho narrow, straight; intimate
estrepitosamente stridently, noisily
estrepitoso noisy, raucous

estribo step, footboard of a coach
estribor *m.* starboard
estropear to spoil, ruin
estruendo uproar, crash, noise
estrujarse to squeeze, press
estupefacto stupefied
etapa stage, period
evasión escape
evitar to avoid, prevent
excelso lofty, sublime
eximio most excellent
éxito success
exornar to embellish, adorn
exponerse to expose oneself
expósito foundling, orphan
extensión expanse, extension
extenuado weakened, exhausted
extrañar to miss
extraño foreign, strange
extraviarse to get lost, go astray
exvoto votive offering, often in the form of a heart

fabricación manufacture
facción feature, facial trait
facultad capacity, use
faena task, job
falda skirt; slope
faldón coattail
falla defect, flaw
fallecido deceased
falta lack; loss; **en** —— **de,** lacking
faltar to lack; to be remaining
fama fame
fantasma ghost, spirit
fardo bundle
farra spree, wild time
fastidioso bothersome, irritating
fatal unfortunate, unlucky, inevitable, fatal
fatalidad fate
fatalmente inevitably

fatiga   fatigue, tiredness; *pl.* labor, tiring chores
fatigante   tiring
fatigar   to tire
faz *f.*   surface, face
felicidad   happiness
feliz   happy
feria   fair, religious feast
festividad   witticism, festivity, holiday
fiebre *f.*   fever
fiel   faithful
fiereza   fury, ferocity
figón *m.*   cheap restaurant
fijarse (en)   to notice
fijo   fixed
fila   row, line
filo   edge
filoso   sharp-edged
fin *m.*   end; **al** ——— finally; **en** ——— in short
finalidad   motive, end, purpose
firmeza   firmness
flaco   skinny
fleco   fringe
flecha   arrow
flojar   to relax
flojo   weak, lax
florón (*aug. of* **flor**)
fogata   hearth fire
fogón   hearth
fondo   bottom, depth; base; basis, background; back
fornido   sturdy, strong
forrar   to cover
forro   lining
forzar (ue)   to force
fósforo   match
fracaso   failure
frase *f.*   phrase
frazada   blanket
frenar   to brake, apply brakes
frenesí *m.*   frenzy
frenético   frantic
freno   brake

frente *f.*   forehead; ——— **a** in front of
frescura   freshness, coolness
fresno   ash tree
friega   rub-down
frondosísimo   extremely leafy
fronterizo   frontiersman
frotar   to rub, massage
fuego   fire
fuente *f.*   source
fuera   outside (of)
fuerte   strong; loud
fuerza   strength, energy
fuga   flight
fulgor *m.*   glow, light
fumar   to smoke
fúnebre *adj.*   funeral
furor *m.*   fury

gacho   bent over, drooping
galano   fresh, pleasing
gallardo   brave, able
gallina   hen
gallo   cock; rooster
gama (*mus.*)   gamut
gana   desire; **tener** ———**s (de)** to feel like; **dar** ———**s (a uno)** to make (one) feel like
gangoso   nasal
garbo   grace, elegant carriage
garganta   throat
gastar   to spend
gasto   expense, expenditure
gélido   icy, dank
gemido   moan
gemir (i)   to moan
gendarme *m.*   policeman
generalizado   widespread, communal
generar   to inspire, engender
genial   ingenious
gente *f.*   people
geómetra *m.*   geometrician
gesto   facial expression; gesture
girar   to circle

globoso protruding
gloglotear to gurgle
glutinoso viscous
goce *m.* joy
golosina sweet
golpe *m.* blow, strike, tap
golpear to strike, hit
gorgotear to gurgle
gorjeo warble, trill
gorra cap
gorrilla small cap
gota drop
gozar (de) to feel pleasure, enjoy
gozo pleasure, joy
gracioso funny, charming, amusing
grama grass
gramilla grass
grandeza greatness, grandeur
granero granary
grasa grease
grasiento greasy
grato pleasant, appreciated
gresca shouting, clamor
grey *f.* flock
grillos shackles
gringo foreigner
gritar to shout
grito shout; **a ———s** out loud, uproariously
grosería insult, obscenity
grosero coarse
grueso dull, coarse, heavy; thick
gruñido grunt
grupa rump
guapeza daring, boldness, bravado
guardar to keep
guardia *m. or f.* guard
guarecer to shelter, protect
guarida den, lair
guarismo figure, number
guía *m. or f.* guide
guiar to guide
guijarro pebble

guiso cooked food
guisote *m.* hash, stew
gula gluttony
gusano worm

haber there to be; to have; ——— **que** to need to (*used in 3rd person sing. only*)
habitación room, bedroom
habitar to inhabit
hacendoso industrious
hacer to make, do; ——— **de** to serve as; ——— **un descanso** to take a rest; ——— **trizas de** to knock to bits, tear to pieces; ———**se** to become; **hace muchos años** many years ago
hacia toward
hacinar to pile, heap
hálito breath
hallar to find, come up with
hambre hunger
hambriento hungry
haragán *m* lazybones
harapo tatter, rag
hasta to; up to; ——— **que** until
he aquí here you have, here are
hechizado bewitched
hecho (*p.p. of* **hacer**) done, made; *n.m.* act, fact
helada frost
helado frozen
helarse to freeze
hembra female, woman
herencia inheritance
herida wound
herido wounded, injured
herir (ie, i) to wound
hermana sister
hermanar to combine, juxtapose
hermano brother
hermoso beautiful
hervir (ie, i) to boil
hielo ice; **de ———** icy
hierático hieratic, priestly

hierba grass
hierro iron
hilacho shred, filament
hilera row, line
hilo line
hincar to press in
hinchado swollen
hinchar (se) to blow up, inflate
hogar *m.* home, hearth
hoja leaf; blade; page
hojear turn the pages of
hombro shoulder
honda sling
hondo deep, profound
hondonada dip, valley
honorabilidad sense of honesty
honradez honor
hormiga ant
hormigueo crawling sensation
horno oven
horrorizar to horrify
hoyo hole
huella footprint, track, trace
huérfano orphan, solitary
huerto orchard
huésped *m.* guest
huir to flee
huizache *m.* thorny desert acacia
humazo dense smoke
humedecer to wet
húmedo damp, humid
humor *m.* temper, disposition
hundirse to sink; to collapse
húngaro Hungarian
hurtar to steal, rob, snatch

idioma *m.* language
idiotismo idiocy
igual equal, just like
iluminarse to lighten, illuminate
impar unmatched, uneven
impedir (i) to prevent, impede
imperioso overbearing
ímpetu *m.* impetus, thrust, energetic spurt, spirited determination
imponer to impose, afflict with
imprevisto unforeseen
improperio insult
imputar to attribute
inagotable inexhaustible
inaudito unheard of
incansable untiring
incapaz incapable
inclemencia cruelty
inclinado leaning
inclinarse to lean over
inconcluso uncompleted
inconcuso indisputable, certain
inconmovible immovable
inconsciente unconscious
incorporarse to get up
incrustar to encase
indeciso undecided
indiado *affected by Indian culture, made to look like an Indian*
índice *m.* index finger
industrial industrialist
ineludible inescapable
inenarrable untold
inercia inertia
inerrable unwavering, unmistakable
infaliblemente without fail
infausto unfortunate, accursed
informe *m.* report, statement
ingeniería engineering
ingeniero engineer
iniciarse to begin
inmediato close-at-hand
inocuo innocuous, harmless
inopinado unexpected
inquietarse (por) to be worried (about)
inquieto disturbed
inquina *(coll.)* hatred, resentment
instalarse to settle down in
intentar to attempt
interior inner, within, interior;

ropa ——— underwear
interrumpir to interrupt
intimar to become friends, be
 intimate
inútil hopeless, useless; ———
 mente pointlessly
inverosímil improbable, unlikely
invierno winter
inyectado blood-shot (*i.e.*, *eyes*)
irrumpir to erupt, explode, break
 out
isla island
izar to raise
izquierdo left, left-hand

jabón soap
jacal *m.* hut
jadear to pant
jaez *m.* kind
jalar (*coll.*) halar to drag out,
 pull
¡jaley! *interj.* (*used to frighten
 away birds*)
jamás never
jaral *m.* bramble
jaula cage
jeringa syringe
jilguero linnet (*a songbird*)
jinete *m.* rider on horseback
jornada day's work
joven *m. and f.* young man,
 young woman
joya jewel
juez *m.* judge, justice
jugar (ue) to play; to gamble
juntarse to be joined, to join
junto together; ——— a next to
juramento swearing
jurar to swear
justo exact, just
juventud youth
juzgar to judge

kilo kilogram (*2.2 pounds*)

lacio straight, lank; faded
ladear to move to one side
lado side
ladrillo brick
ladrón thief
lago lake
laja slab of stone
lambedero salt-lick
lámina poster, print
lámpara lamp
lampiño hairless
lancetazo shooting pain, blow
lanzar to hurl, throw, give,
 launch, fling, issue, let out;
 ——— una ojeada to glimpse
largar to release, let go
largo long; a lo ——— along,
 against
latigazo whiplash
lavar to wash; ———se to get
 washed
lazarillo blindman's guide
lebrillo earthenware tub
lectura reading
leche *f.* milk
lechería dairy restaurant *or* snack
 shop
lecho bed
legua league
legumbre vegetable
lejanía distance, remoteness
lejano distant
lejos distant, far
lengua tongue
lente *m.* lens
lento slow
león lion
lesionado impaired
lesionar to wound, injure
letargo lethargy
levantar to raise, to erect; to
 build
leve *adj.* light
ley *f.* law
liar to tie

librar to free
ligeramente slightly
ligero light, slight; quick, fast
limpiar to clean, wipe off
limpidez purity
limpiecito (*dim. of* **limpio**) nice and clean
limpieza cleaning
limpio cleanliness; **vestido de** —— dressed up
lindo beautiful
liquen *m.* lichen
liso smooth
listo ready
liviano light, fast
loa praise
loable praiseworthy
localizar to place
locuaz talkative
locura madness
lograr to manage, succeed
loma hill
lomo back
loza ceramic tile
lucir to display, show off
lucha fight, struggle; **seguir la** —— to keep on with the struggle
luego then; afterwards; therefore; —— **de** after
lugar *m.* place; village; **en** —— **de** instead of
lugarejo hamlet, village
lujo luxury
lumbre light, fire
luminoso luminous, bright
luna moon
lustroso shiny
luto mourning
luz *f.* light

llaga sore
llamado call
llamar to call; —— **la aten-**

ción to attract one's attention; to notice
llamarada flash
llano plain
llanto crying, tears
llave *f.* key
llavero key-chain
llegar to arrive
lleno full
llevar to carry; ——**se** to be carrying
llorar to weep
lluvia rain

macizo solid
mácula stain, patch of color
machete *m.* *a large, curved knife used for cutting vegetation*
macho male, boy baby
madera piece of wood
madrina godmother
maestra: obra —— masterpiece
maguey *m.* agave *or* century plant
maicito (*dim. of* **maíz**)
maíz *m.* corn, maize
mal *m.* sickness
malacara star-faced horse
maldecir to curse
maldición curse
maldito cursed, damned
maletín *m.* bag, case
malicia malice, ill-will
malo bad
maltrecho mistreated, abused, beaten
mama breast
manco one-armed
manchar to stain
manchón patch, spot
mandar to send
mandil *m.* leather cloak
manejar to manage, handle
manejo handling, manipulation

mango handle, hilt
manía obsession, peculiarity
manifiesto obvious
manojo bundle, bunch; ———
de llaves bunch of keys
manotear to cuff, flail
mantener (ie) to maintain, keep,
hold
manta coarse cotton
manteca fat
manto shawl
maña trick; *pl.* skill, cunning
mañana morning
maravilla wonder
marchar to march, walk;
———se to go away
marchito withered, wilted, faded
marear to make dizzy
mareo dizzy spell, fainting
marido husband
marinero sailor
mármol *m.* marble
mas but
mascullar to mumble
matar to kill
matorral *m.* brush, brambles
matrimonio married couple
mayor great, greater
mayormente mainly
mecha: ———s del cabello
locks of hair
media(s) stockings
mediar to reach the midpoint
medio means; midst, middle;
en ——— de in the midst
of
mediodía *m.* noon
medir (i) to measure
mejor better; ——— que rather
than
mejorar to get better
mella mark, impression
mellizo twin
membrillo quince
mendigar to beg

menor younger, youngest; slight-
est
menos less; except
mente *f.* mind
mentecato fool
mentir (ie, i) to lie
mentón chin
menudo tiny; a ——— often
merecer to deserve
mestizo half-breed
meterse to put, insert; to set
(*sun*)
metro meter
mezcal *m.* *a brandy distilled
from cactus*
miedo fear; tener ——— to be
afraid
miembro member
mientras while, meanwhile;
——— tanto meanwhile
millar *m.* thousand
mimo indulgence
mirada glance; echar una ———
to glance
mirar to look at
mirra myrrh
misericordia pity
mismo same, very
mitad half
mocetón strong young man
mocoso mean, sniveling
modo way; de ——— que so
that; de cualquier ——— at
any rate; a ——— de in the
manner of
moho mildew, rust
mojar to moisten; ———se to
get wet
mole *f.* mass, heap
molestar to bother
molesto disturbing
monstruo monster
montaraz wild, of the mountains
monte *m.* woods
montoncito a little hill

morder (ue) to bite
moreno dark-skinned *or* dark-haired
moribundo dying
mortuorio dying
mostrador *m.* counter
mostrar (ue) to show
mote *m.* nickname
moverse to move
mozo young man
muchachada pack of boys
muchedumbre *f.* throng, multitude
mudar to change
mudo mute, silent
mueble *m.* piece of furniture
mueca grimace; **hacer ——s** to make faces
muelle *m.* wharf, pier
muerte *f.* death
muerto (*p.p. of* **morir**) dead; dead person
muestra sample, example
mugir to moan, cry, bellow
mugriento dirty
mujer *f.* woman; wife
mujercita (*dim. of* **mujer**)
mula mule
mundo world
muñeca wrist
muralla wall
murallón thick wall
murmurar to murmur
musgo moss
musiquilla (*dim. and somewhat depreciative form of* **música**)
muslo thigh

nacer to be born
nadar to swim
nadie no one
naranjo orange tree
nariz *f.* nose
náufrago ship-wrecked person
nazca (*pres. subj. of* **nacer**)

necesitar to need
neciamente foolishly
negar (ie) to deny; **——se a** to reject, refuse to
negocio business, shop
nevar (ie) to snow
nevazón *m.* snowfall
ni neither, nor
nidal *m.* haunt, nest
nido nest
niebla fog
nieto grandchild
nieve *f.* snow
niñez childhood
nítidamente clearly
nombre *m.* name
norte *m.* north
noticia news
novedad change
nuca nape
nudo knot
nuevo new; **de ——** again
nunca never

obligar to compel, oblige
obra: **——** **maestra** masterpiece
obrar to work, act
obscuro dark
obsequiar to treat, honor, please
obstinadamente stubbornly
obtener (ie) to obtain
ocasión opportunity
ocasional *adj.* chance
ocio leisure, idleness
ocote *Aztec word for a kind of mountain pine*
ocultar to conceal
oculto secret, hidden
ocultarse to hide; to set (*sun*)
ocuparse (de) to devote oneself (to); to be engaged (in)
ocurrir to have recourse to; **——sele** to occur to one
oeste *m.* west

oficio profession, trade
ofrecer to offer
ofrecimiento offer
oir to hear
ojeada glance
ojo eye
ola wave
oleada big wave
oler (ue) to smell
olfato sense of smell
olvidar to forget
olvido forgetfulness
olla pot
onda wave
oponerse to oppose, be an obstacle
oprimir to press; to oppress
orden *f.* order
oreja ear
orgullo pride
orilla edge; shore, bank; *pl.* outskirts
oscurecer to darken
oscuro dark
otorgar to grant, bestow

pagar to pay (for)
paisaje *m.* landscape
paja straw
pajareador *m.* bird hunter
pajizo made of straw
pajonal *m.* area of tallgrass
pajuelazo snapping sound of a sling
palabra word
pálido pale
palo stick
palometa small river fish of voracious nature
palpar to feel, touch
palpitar throb, quiver
panamá *m.* panama hat
pandilla unruly mob
pantalón pants
paño tapestry, woven stuff

pañuelo handkerchief
papel *m.* paper; role, part
paquete *m.* package
parar (se) to stop, detain; to stand; to set up; **ir a ———** to end up
pardear dusk; **al ———** at dusk
parecer to seem; **al ———** apparently
pared *f.* wall
parejito (*dim. of* **parejo**) even, straight, smooth
parir to give birth
parlanchín talkative
parpadear to blink, flicker
parpadeo blinking
párroco parish priest
parte *f.* part; **a (por) otra ———** elsewhere; **todas ———s** everywhere; **en todas ———s** everywhere
particular peculiar, odd
partida parting; game
partir to leave; to split
parvada unruly throng
pasado past
pasaje *m.* passage, train ticket
pasar to pass; to happen; **———se** to lose force, to be spent; **¿qué le pasa?** what's the matter?
pasear to go for a walk, to pace, stroll
pasillo aisle, corridor
pasito (*dim. of* **paso**); **——— a ———** step by step, slowly
pasmo astonishment
paso pace, step, footstep; passage, passing, way; **cerrar el ———** a to block one's way; **abrirse ———** to make headway
pasto grass
pastor *m.* shepherd
pastoso mellow
pata paw, foot

patear to thrash and kick about
patente full, real, patent, clear
paterno paternal
patrimonio inheritance, heritage
pausadamente slowly, deliberately
pavoroso frightening, alarming
paz *f.* peace
pecho chest
pedazo piece
pedir to ask for, order
pedrada stoning, blow with a stone
pedrajo (*aug. of* **piedra**)
pedregoso rocky
pedregullo crushed stone
pedrusco (*aug. of* **piedra**)
pegado joined
pegar to stick; to strike;——**se a** to attach oneself to
peinar to comb
pelear to fight
pelele *m.* stuffed, hanging figure; ragdoll
película movie, film
peligro danger; **correr** —— to be in danger
peligroso dangerous
pelotón band, squad, gang
pellejo skin, hide
pellizcón pinch
pena sorrow
penacho plume
pender to swing, hang
pendiente *f.* hill, slope; *adj.* hanging
penoso painful
pensamiento thought
pensar (ie) to think (of); to intend to
pensativo thoughtful
peñasco rock, boulder
pcón laborer
peonada laborers
peor worse

pequeñez smallness
pequeño small
pequeñuelo (*dim. of* **pequeño**)
percatarse (de) to perceive, notice
percudir to stain, soil
perderse to lose; to get lost
perdón pardon
peregrinación pilgrimage
periódico newspaper
permanecer to remain
perseguido, *n.m.* pursued
perseguir to pursue
personaje *m.* personage
pertenecer to belong
pesadilla nightmare
pesado heavy
pesar to weigh; **a** —— **de** in spite of; *n.m.* burden, pain, displeasure
pescado fish (*usually after it is caught*)
pescador *m.* fisherman
pescar to fish
peso weight; oppression; monetary unit; bunch, portion; **un** —— **de** a peso's worth of
pestaña eyelash
pestilente foul
petate *m.* sleeping mat
pezón pivot, axle end
picado punctured
picadura sting
picar to sting
pico beak
picotear to peck
pie *m.* foot; **a** —— on foot
piedra stone, rock
piel *f.* skin
pierna leg
pieza room
pillo crafty, sly; rascal
pino steep
pintoresco picturesque

pipa pipe
piridina pyridine
pisar to tread, set foot, to step
piso floor
pisoteado trampled
pitanza food
placenteramente pleasantly
placer *m.* pleasure
placita (*dim. of* **plaza**) town square
plancha plate, sheet
planchada gangplank
plano: de —— lying flat
planta foot
plantar to plant; **——se** to stand
plantel *m.* educational institution.
plantígrado plantigrade
plañidero lamenting, whining, complaining
platicar to chat
platillo plate
playa beach
plazo: a largo —— long term
plegar to fold, crease
plegaria prayer, supplication
plenamente fully
pleno full
pluma pen, feather
poblador *m.* settler
poco little; **a ——** shortly afterward, within a little while; **—— a ——** little by little
poder (ue) to be able, can
poderoso strong
policromía multicolored particle
ponchazo blow with a poncho
poncho coat
poner to put, place; **——se** to become; **—— una cara** to look, have a facial expression; **——se** to put on
por by, through; for; on account of, for the sake of; **—— lo**

menos at least; **—— fin** at last
porfiado stubborn, insistent
porquería filth, garbage; filthy
portaestandarte *m.* standard-bearer
portal *m.* city gate, entrance
portentoso prodigious, miraculous
portillo gate
porvenir *m.* future
pos: en —— de following
posada inn, boarding house
posarse to light, rest
poseedor possessor
poseer to possess
poste *m.* pole
postrarse to prostrate oneself
postrero last
potrero pasture
potro colt
precipitarse to rush, happen, happen suddenly, hurry, speed
preciso: es —— it is necessary
predilecto preferred
predisponer to predispose
preguntar to ask
prenda clothing accessory, jewel; talent, grace; article
preñez *f.* pregnancy
preparativo preparation
presa victim, prey
preso prisoner; *adv.* under arrest; **—— de** taken with, captivated, excited with
prestar to lend
pretender to endeavor, seek, intend, try to
pretil *m.* railing, counter
previo previous
previsto foreseen
primerizo first-timer, newcomer
primogénito first-born
principio: al —— at first; beginning

prisa hurry; **de** —— in a hurry, hastily; **darse** —— to hurry up
privar (de) to deprive
probar (ue) to taste; try out; to prove
procedente proceeding from
proceso trial
procurar to try, attempt; to obtain
prófugo fugitive
profundo deep, profound
prójimo fellow man
prometer to promise
pronombre *m.* pronoun
pronosticar to predict
pronto soon; **de** —— suddenly, right away; at first
propicio proper, advantageous
propio own
propósito intention
proseguir (i) to continue, keep on, pursue, follow along
prosternar (se) to prostrate oneself
provecho advantage, benefit
provenir (ie) (de) to come from
próximo next, near
prueba test, proof
pueblo town; people
puente *m.* bridge
puertecilla (*dim. of* **puerta**)
puerto port
pugnar (por) to struggle, fight (for)
pujar to push, force out
pulgar *m.* thumb
pulmón lung
punta point, edge, corner, tip
puntapié *m.* kick
puntería aim, accuracy
punto point
punzante penetrating
puñado fistful
puñal *m.* dagger

puñalada stab
puñetazo punch
puño fist, handle

quebrada ravine
quebrar (ie) to break
quedar (se) to remain, be left, be
quedo soft, quiet
quehacer chore, task
quejarse to complain
quejido lament
quejumbroso difficult, complaining
quemadura burning
quemar to burn
querer (ie) to want; to love
queso cheese
quimera chimera, dream
químico chemist
quinta small estate
quinto fifth

rabia anger, rage
rabioso wild, furious
racimo bunch, cluster
radiante glowing
ráfaga breath, breeze
raído frayed, threadbare
raja coarse cloth
rajar to crack, split
raleado thinned out
rama branch
rapaz *m.* young boy
rapto kidnapping, theft
raro strange
rascar to scratch
rasgo quality, trait, characteristic
rastro trace
rato while; **al** —— after a while
ratón mouse
raya sting ray (*fish*); line, streak
rayar to streak
rayo bolt of lightning, flash
raza race

razón *f.* reason
realeza regal dignity
reanudar to renew, to begin again
reaparecer to reappear
rebaño flock
rebotar to rebound, bounce
recaer to fall back on
recargado crammed; feverish
recelo diffidence, suspicion
receta prescription
recién recently
recio coarse, thick, rude
recipiente *m.* receptacle
reclamo call; lure; complaint
recobrar to recover
recodo bend, turn
recoger to pick up, gather together
recogido drawn up
recordar (ue) to remember, recall, remind (of)
recorrer to travel (along); to look over
recreo recreation
recto straight
recuerdo memory
recurrir to resort; ——— **a** to take recourse to
recurso resource, livelihood
rechazar to turn down, reject
rechinar to grate, gnash
rechoncho plump
redimir to redeem, rescue
reencender (ie) to rekindle
reflejar (se) to reflect
refregar (ie) to rub
refrigerio refreshment
refuerzo reinforcement
refulgir to burn, flash
regalar to give away
regar to sprinkle
regocijado happy
regresar to return
regreso return

reguero furrow, rill
rehacer to renew, remake
rehuir to shun, shy away from; ——— **su paso** to shy away from while walking
reincidencia repetition (*of an offense*)
reír (se) (i) to laugh
reja railing, grating, bars
relajarse to relax
relato story, tale
relevo relief
relieve *m.* outline, sharp feature, relief, prominence
remangar to roll up (*sleeves*)
remedio solution
remordimiento remorse
rencor *m.* animosity
rendido worn out, exhausted
rendir (i) to surrender, overcome; ———**se** to give in
renguear to limp
reo criminal
reojo: de ——— out of the corner of one's eye
repartir (se) to divide, share
repegado (*emphatic form of* **pegado**)
repente: de ——— suddenly
repentino sudden
repleto replete, full
reponerse to recover, calm down
repuso (*pret. of* **reponer**) replied
res *f.* beef, cow, head of cattle
resbaladizo slippery
resbalar to slip, go astray
rescatar to ransom, rescue, restore
resguardar to protect
resistir to resist; ———**se (a)** to refuse
resolver (ue) to resolve
resollar (ue) to breathe (esp. noisily, as an animal)
resonar (ue) to echo, to resound
resoplar to pant, puff, snort

resorte *m.* spring, fountain
respecto: ——— **de** with respect to
respiración breathing
respirar to breathe
responder to answer
respuesta reply
resto remainder
resto(s) remains
restregarse to rub
resuelto determined, resolved
resultado result
resultar to turn out to be
retablo altarpiece, tableau
retener (ie) to hold
retirar to remove; ———**se** to retire, go away
retorcerse (ue) to twist about
retorcido twisted
retrasado (culturally) retarded
retrato portrait
retroceder to step back; to turn back
reunión meeting, gathering
reunir to gather, collect; ———**se** to meet, gather together, reunite
reventar (ie) to explode
revés: al ——— backwards
revestirse (i) to cover with
revolcarse (ue) to roll about
revolverse (ue) to move back and forth
revuelto mussed up
rezar to pray
rezongar to mutter, growl
ribera riverbank
rincón corner
río river
risa laughter
risotada burst of laughter
risueño smiling
robar (se) to steal, take away
roble *m.* oak
robo robbery

roca rock
roce *m.* touch, stroking; rubbing, rasping
rodado boulder; slope, hill
rodar (ue) to roll, tumble; to run; to resound
rodear to surround
rodeo circling, turn
rodilla knee
roedor rodent
rojizo reddish
rojo red
rollizo plump
romper to break (out)
roncar to snore, rumble; to roar
ronco hoarse, hollow
rondar to walk around
ropa clothing
roquerío rockiness
rostro face
roto torn, broken; *n.m.* lower class urban Chilean
rozado cleared
rozagante showy, pompous
rozar to brush, rub
rubio blond, fair
ruca hut, house
rudo rough-hewn, simple
rugido roar
rugir to bellow, holler, roar
rugosidad fold, wrinkle
rugoso wrinkled
ruido noise
rumbo route
rumor *m.* noise, murmur, sound of voices
ruta route

sábana sheet
saber to know, come to know, find out
saborear to taste, savor
sacar to take out, remove; ——— **de apuros** to relieve, get out of a predicament

saco coat; bag
sacudida shake
sacudir to shake
salir to go out, leave
saltar to leap
salteador *m.* highwayman
salto leap
saludable wholesome, healthy
saludar to give regards
salvaje savage, wild
salvar to save
salvo except (for)
sangrar to make bleed, bleed
sangre *f.* blood
sano healthy
santidad sanctity
santón pagan ascetic
saña passion, fury, rage
satisfacer to satisfy
satisfecho satisfied
secas: a ——— simply, plain
seco dry
secular of centuries
seda silk
seguida: en ——— immediately, right away
seguir (i) to follow; to continue; ——— **con la vista** to follow with one's eyes
seguramente surely
seguridad certainty, corroboration
seguro sure
sellar to seal
semblante *m.* look, expression
sembrar to scatter, to spread; to sow
sencillo simple
sendero path
sentarse (ie) to sit down
sentido meaning
sentir (ie) to feel, sense
señal *f.* signal
señalar to point out, demonstrate, gesture

ser to be; *n.m.* being
serie *f.* series
serio serious
serranía mountain ridge
servir (i) to serve; ——— **de** serve as; ——— **para** to be good for
sien *f.* temple
sigiloso careful, stealthy
significar to signify, mean, point out, indicate
siguiente following
silbar to whistle
silbido whistle
silla chair
simpático nice, pleasant, attractive, congenial
sino except, but
siquiera even, at least; though; **ni ———** not even
sitio place, rank; **tomar un ———** to assume a place
sobaco armpit
sobras *pl.* leftovers
sobrecoger to seize, surprise
sobrepelliz *m.* surplice (*ecclesiastical garment*)
sobrevenir (ie, i) to follow; to take place
socio partner, associate
sofocar to suffocate
solapa lapel
solar *m.* plot of ground
soldado soldier
soledad solitude
soler (ue) (*only pres. and imp. used; always followed by the inf.*); to be used to, in the habit of
sólo only; **tan ———** only
soltar (ue) to loosen, get loose, let go, to release
sollozar to sob
sollozo sob
sombra shadow
sombrío gloomy

somero   slight, superficial
sonado   famous, sensational
sonaja   jinglebell
sonajero   rattle
sonar (ue)   to sound, ring
sonido   sound
sonreír (se)   to smile
soñar   to dream
soplar   inflate
soplo   breath, breathing; hint
soportar   to suffer, endure
sordo   deaf; silent; muffled; **hacerse el** ⸺ to act deaf
sordomudo   deaf-mute
sorprender   to surprise
sosegarse   to become calm, rested
soslayar   to skirt, go around, attack obliquely
sostenerse (ie)   to hold on, endure; to support, sustain
suave   gentle, soft
subir   to climb, reach, go up, rise
sucederse   to occur; to ensue, to happen
sucio   dirty
sudor *m.*   sweat
suelo   ground, floor
suelto   loose
sueño   sleep, dream
suerte *f.*   fate, luck
sufrido   dedicated, long-suffering
sufrimiento   suffering
sujetar   to hold; ⸺**se (de)** to hang (onto)
sujeto (*p.p. of* **sujetar**)   grasped; *m.n.* fellow
sumamente   extremely
superar   to overcome
superficie *f.*   surface
suponer   to suppose
surco   furrow
surgir   to arise; to stick out
surtir   to sort out, distribute
suspirar   to sigh
suspiro   breath; sigh

sustento   maintenance, living
sustraer   to bring out of, draw from under
sutil   subtle, delicate

tabla   board; plank
tablero   chessboard
tacto   touch
tacuara   type of bamboo
tacha   defect
tajamar   cutwater (*of a bridge pier*)
tal   such; ⸺ **si** as if
talante *m.*   manner, disposition; **de buen** ⸺ with good nature
talón   heel
talla   stature
tamaño   size
tambalear   to stagger
tampoco   neither
tan   so
tanto   so much (many), as much (many); **un** ⸺ a little **en** ⸺ **que** while
tapar   to cover
tara   flaw, defect
tardar   to delay, be late; last
tarde *f.*   afternoon
tarea   task
tarima   bench, bunk
tartamudear   to stammer
tata   daddy
techo   roof
tejido   weaving, braiding
tela   cloth
tema *m.*   theme
temblar (ie)   to tremble, shimmer
temer   to fear
temor *m.*   fear
temprano   early
tenaz   tenacious, clinging, persistent
tender (ie)   to stretch out; to hang out; ⸺**se** to lie down

tendido lying, stretched out
tenebroso dark, obscure
tener (ie) to have; ——— **que
ver con** to have to do with;
——— **que** to have to
tercio bundle, pack
terciopelo velvet
terco obstinate, insistent
terminar to finish
término end
ternura tenderness
terquedad stubbornness
terreno land, ground, space
terronera earth ridge
tersura smoothness, glossiness
tertulia social gathering
testigo witness
tibio tepid, warm
tiempo weather; time; a ———
on time, at the same time
tierno tender, gentle
tierra land, country
tinaja basin
tinieblas *pl.* darkness
tinta ink
tipludo high-pitched, falsetto
tipo type, character
tirador *m.* sharpshooter, marks-
man
tirante straining
tirar to throw; to pull
tiritar shiver
tiro shot
tísico person with tuberculosis
tisiquillo (*dim. of* **tísico**)
títere *m.* puppet
titubeante hesitating, stammering
tocado coif, headdress
tocar to touch
todavía still, yet
tomar to take, to drink; ———
por to take (*a path, etc.*)
torcer (ue) to twist, bend
tordo a variety of blackbird
tornar to turn; ——— **a** to turn

again; ———**se** to become; to
return
tornillo screw, clamp
torpe slow-moving, sluggish
torpeza dullness, slowness
torrecita (*dim. of* **torre**) tower
torrente *m.* stream
tosco rough
toser to cough
trabajador worker
trabajar to work
trabajo work
trabazón bond, joint
traer to bring
tráfago drudgery, toil
tragarse to swallow
trago gulp, swallow; **de un**
——— with one gulp
traje suit; ——— **de gala** holiday garb
trajinar to go around, bustle
about
trampa trick, deceit; **hacer**
——— to cheat
trance *m.* crisis, danger, critical
moment
transcurrir to pass (*time*)
transcurso course
transitar to frequent, cross
transitado frequented, busy
tranvía *m.* streetcar
trapo rag
tras after; behind
trascendencia transcendency, result
trasladarse to move, change po-
sition
trasponer to go behind
trastorno trouble, confusion
trasudado sweaty
tratar (de) to try; ———**se de** to
be a matter of, concern, involve
trato relations, business
través: a ——— **de** across
traza appearance, trace

trecho a space, short distance;
   a ——s at times
tregua : sin —— without letup
trémulo trembling, shaking
trepar to climb
treta trick, scheme
tributar to pay homage *or* taxes
   to, "feed"
trigo wheat
trinchera entrenchment, barrier
triste sad
triunfar to triumph
triza fragment, shred; **hacer**
   ——s to tear to bits, wound *or*
   injure a person *or* animal
trocarse (en) to turn into
trocito (*dim. of* **trozo**) piece
troglodita troglodyte, caveman
trompudo wide-nosed
tronar (ue) to thunder, roar
tropezar to stumble, trip across;
   —— **con** run into
trozo piece, extension
truco card game
trueno thunder, explosion
tuerquita (*dim. of* **tuerca**) nut
   (*used with a bolt*)
tuerto one-eyed, blind in one
   eye
tumbar to knock down
tumefacto swollen
túnel *m.* tunnel
turba crowd
turbio turbulent, muddy
tutelar guiding, teaching

último last
umbral *m.* threshold
unirse to be united, to join
   with
uña fingernail, claw
urgido "swollen"
usar to use, wear
utilizar to use
uva grape

vaciar to empty; ——se to be
   emptied
vacilar to hesitate
vacío void, emptiness; *adj.* empty
vagar to wander (over)
vagido bleat
vago bum, vagabond
vagón *m.* wagon
vahído dizziness
vainilla vanilla wafer
valerse (de) to make use of
valija bag, suitcase
valimiento favor
valla mass, barricade
vano vain, "empty"
vapor *m.* steamship
vara twig, small branch
varilla stem, twig, rod
vario(s) several
vaso glass
veces *f. pl.* times; **a** —— at
   times
vecino neighbor
vedado forbidden
vejete *m.* old man
vela candle, sail
velada soirée, pleasant social
   evening
veloz rapid, swift
vencer to defeat
veneciano Venetian
veneno poison
venerar to worship
ventaja advantage
ventana window
ventura good fortune
ver to see
vera border; **de** ——s really
verano summer
verdadero true, real
vereda path
vergüenza shame
vertiginoso dizzying
vertir (ie, i) to pour
vestimenta clothing

vestir (i) to dress
vez *f.* time; **tal ——— ** perhaps;
de ——— en cuando from
time to time; **cada ——— que**
whenever; **a su ——— ** in turn
vía road, track
viaje *m.* journey, trip
viajero traveler
víbora viper
vida life
vidrio glass, pane
viejecito (*dim. of* **viejo**) old man
viento wind
vientre *m.* belly
vigésimo twentieth
vínculo link, unifying factor
**vis: ——— à ——— ** (*Fr.*) facing,
opposite; get-together
víspera vesper, eve
vista gaze, sight, view
viviente living
vivir to live
vivo alive, living
vocablo word
vocecita (*dim. of* **voz**)
voces (*pl. of* **voz**)
volar (ue) to fly
voltear to turn
voluta vault, arch, volute
volver (ue) to return; to turn;
——— a + *inf.* to do again;
——— en sí to come to; **——— se**
to become; to turn around
voz *f.* voice; word; **en ——— **
alta out loud

vuelta turn; return; **darse ——— **
to turn around
vuelo value

ya now, already; **——— que**
since; **——— . . . ——— ** at
time . . . at times
yacer to lie
yema fingertip
yerba grass
yerbajo weed, *pl.* brush
yermo uncultivated, desert
yerra (*3rd person singular present
tense of* **errar**) to wander, commit an error
yeso plaster, chalk

zaherir to upbraid, censure
zaheridor reproachful
zancada stride
zapatear to tap with the feet
zapateo tapping, tap dance
zapato shoe
zarpar to set sail, sail
zarpazo: a ——— s with blows
from their paws
zoque *adj. pertaining to a tribe of
Indians in southernmost Mexico*
zorra a small cart for heavy loads
zorro fox
zozobra anguish, anxiety
zumbar to hum, buzz
zurda left-hand way; left-handed